O ciclo do contato

CIP-BRASIL. CATALOGAÇÃO NA PUBLICAÇÃO
SINDICATO NACIONAL DOS EDITORES DE LIVROS, RJ

R369c

Ribeiro, Jorge Ponciano
O ciclo do contato : temas básicos na abordagem gestáltica / Jorge Ponciano Ribeiro. - [9. ed. rev.]. - São Paulo : Summus, 2021.
208 p. ; 21 cm.

Inclui bibliografia
ISBN 978-65-5549-042-8

1. Psicoterapia. 2. Gestalt-terapia. I. Título.

21-72070 CDD: 616.89143
CDU: 615.851:159.9.019.2

Meri Gleice Rodrigues de Souza - Bibliotecária - CRB-7/6439

O ciclo do contato

Temas básicos na abordagem gestáltica

JORGE PONCIANO RIBEIRO

O CICLO DO CONTATO
Temas básicos na abordagem gestáltica

Editora executiva: **Soraia Bini Cury**
Capa: **Alberto Mateus**
Projeto gráfico e diagramação: **Crayon Editorial**

Summus Editorial
Departamento editorial
Rua Itapicuru, 613 – 7º andar
05006-000 – São Paulo – SP
Fone: (11) 3872-3322
http://www.summus.com.br
e-mail: summus@summus.com.br

Atendimento ao consumidor
Summus Editorial
Fone: (11) 3865-9890

Vendas por atacado
Fone: (11) 3873-8638
e-mail: vendas@summus.com.br

Impresso no Brasil

Sumário

Aos meus clientes, com os quais aprendi
que um contato saudável é a maior e
mais eficiente força de humanização.

Nota do autor (1997)

Tenho o prazer de colocar em suas mãos a segunda edição de *O ciclo do contato*, revista e ampliada.

A urgência de uma primeira edição surgiu da necessidade de garantir a originalidade de um trabalho e, portanto, os direitos autorais de ideias amplamente divulgadas por mim ao longo dos treinamentos que venho desenvolvendo em diversas partes do país.

O texto anterior, apropriado e útil para os objetivos a que me propus, deixa, no entanto, a desejar, sobretudo no que diz respeito a uma melhor fundamentação da teoria do contato.

O presente texto é amplo, mais crítico, amadurecido, e fundamenta mais solidamente a teoria do contato, dos fatores de cura e a relação de ambos com o conceito de *self*.

Espero, por isso, que lhe seja mais útil.

Palavras do autor (2007)

Temos o imenso prazer de colocar em suas mãos uma edição de *O ciclo do contato* revisada e melhorada. Entre outros objetivos, queremos deixar claro que este texto trabalha, com base no método fenomenológico, o conceito de campo, de círculo, de ciclo, de mecanismo de cura e bloqueio do contato e de *self*, e que esse conjunto de construtos forma o que chamo de Teoria do Ciclo do Contato. Não estamos falando só de ciclo do contato e *self*, estamos falando disso também, pois nosso objetivo é desenvolver um modelo que se aplique tanto a situações clínicas quanto a outras práticas que possam se fundamentar em nossas teorias e filosofias de base. Não temos intenção de teorizar, pois isso nos colocaria no campo da filosofia. Estamos trabalhando um modelo que possa operacionalizar nossa prática clínica; portanto, estamos falando de método.

Preparamos um capítulo introdutório que visa pontuar o sentido e o significado deste texto e se propõe dar uma direção à leitura que se seguirá, permitindo ao leitor ter, ao mesmo tempo, uma teoria de base e uma orientação prática de como lidar com o conceito de contato. Introduzimos novos modelos e modificamos ligeiramente os antigos, tornando mais clara, espero, a noção de campo, que é o lócus no qual o contato ocorre, e de ciclo, que é o modo humano como os humanos fazem o ciclo por meio do contato.

De certo modo, posso dizer que passamos de um conceito estrito de *ciclo do contato* para o de *ciclos do contato* e que, sem perder a perspectiva anterior, avançamos no sentido da ampliação da compreensão do que é contato – como um jeito de existir, mas também como um real investimento de trabalho.

Palavras do autor

Caros amigos,

tenho o prazer de colocar em suas mãos mais uma versão atualizada de *O ciclo do contato*. Sempre desejei rever este texto e, ao lê-lo e estudá-lo, sentia falta de alguns conceitos que o tornariam mais operacionalizado, mais completo e mais funcional.

Somos o resultado, em andamento, das estradas que percorremos, das opções que fizemos, dos horizontes que nos *pro-vocaram*, das escolhas, dos *com-tatos* que nos fascinaram. Fizemos ajustamentos criativos, ora funcionais, ora disfuncionais, resultados de como experienciamos nossas percepções, nossas intuições. Fizemos, portanto, escolhas de como vivemos o espaço e o tempo, escolhas de como experienciamos o espaço-tempo – dimensões humanas ora visíveis, ora invisíveis.

Contato: realidade primeira para além do toque. Fruto de uma totalidade, espelha a experiência humana, fruto de diálogos, às vezes, impossíveis entre o visível e o invisível, a evidência e o mistério, na busca de uma unidade, de uma indivisibilidade também extremamente difícil entre clássicas dicotomias, como sujeito e objeto, essência e existência, parte e todo, figura e fundo.

Contato é uma busca estrutural, a busca de uma ontologia operacionalizável, é a experiência de uma visada além das partes constitutivas de uma totalidade. Só assim uma configuração é uma Gestalt e uma Gestalt é uma configuração.

Dizer que faz Gestalt ou que é gestaltista está muito longe de se dizer Gestalt-terapeuta ou que faz Gestalt-terapia, porque é a mágica junção desse hífen (-) que cria a transcendental totalidade na qual as partes visíveis, Gestalt e terapia, desaparecem na organização, articulação e na unidade da força misteriosa do invisível, formando nossa postura acadêmico-profissional: somos Gestalt-terapeutas.

> O que há de profundo na *gestalt*, nosso ponto de partida, não é a ideia de significação, mas a de estrutura, junção de uma ideia e de uma existência indiscerníveis, arranjo contingente por cujo intermédio os materiais se põem a ter sentido para nós, a inteligibilidade em estado nascente. (Merleau-Ponty, 1960, p. 223)

> Não sendo essência nem ideia, não sendo dada a um espírito nem constituída por ele, uma *gestalt* também não é uma coisa, mas uma dimensão do ser, pois, como já escrevia [Merleau-Ponty] em *Introdução à estrutura do comportamento*, "a forma não é uma realidade física, mas um objeto de percepção" e "não pode ser definida em termos de coisa, mas como um conjunto percebido" (Chaui, 2002, p. 230).

Lendo este texto agora, fico feliz com o trabalho feito e espero que você também se sinta mais instrumentalizado ao trabalhar com ele. Trabalhei melhor a ordem em que os assuntos se sucedem, aprofundei a questão da espacialidade e da temporalidade e, concomitantemente, o conceito de *self*. As figuras estão melhores do ponto de vista estético; os processos de bloqueio ou interrupção do contato, mais bem elaborados.

Introduzi dois conceitos que são fundamentais para uma visão mais dinâmica e ontológica do contato: a questão da voz média e dos existenciais animalidade e ambientalidade – propriedades humanas esquecidas ao longo de nossa evolução tecnológica, cultural, existencial e espiritual.

O texto está enriquecido por inúmeras citações, o que o tornou mais próximo do que outros autores também pensam a respeito do contato. Esta é a quarta versão de *O ciclo do contato*. E, em cada uma, amplio e aprofundo uma visão de mundo, de pessoa e da natureza do contato que foram fazendo mais sentido para mim ao longo de minha evolução acadêmica, científica e como pesquisador.

Na razão em que compreendia melhor a função de um diagnóstico e de um prognóstico, tema principal deste livro, caminhei mais assertivamente na direção de uma visão de campo, holística e fenomenológica que caracteriza este trabalho.

Escrevi outros livros e, ao escrevê-los, dialogava com partes minhas que, intuitivamente, me levavam na direção de sentir, de pensar, de fazer e de falar do contato como aquilo que pudesse responder às necessidades ou perguntas daqueles que querem fazer uma Gestalt-terapia de qualidade.

O ciclo do contato é meu instrumento pessoal de trabalho. Eu o leio e releio como um escultor que nunca dá por terminada sua obra – e isso só acontece quando a obra nasce mais do coração do que do pensamento do artista.

Jorge Ponciano Ribeiro
Brasília (DF), 10 de fevereiro de 2021

1.
A natureza do contato humano

> [...] *Todo contato é ajustamento criativo do organismo e ambiente.* Resposta *consciente* no campo (como orientação e como manipulação) é o instrumento de crescimento no campo. Crescimento é a função da fronteira de contato no campo organismo/ambiente; é por meio de ajustamento criativo, mudança e crescimento que as unidades orgânicas complicadas persistem na unidade maior do campo. [...] *Contato, o trabalho que resulta em assimilação e crescimento, é a formação de uma figura de interesse contra um fundo ou contexto do campo organismo/ambiente.*
> (Perls, Hefferline e Goodman, 1997, p. 45)

Contato, portanto, supõe um movimento dinâmico de orientação e manipulação, de mudança e crescimento como formas de ajustamento criativo na relação organismo/ambiente, ou seja, como experiência de fronteira.

Contato, processo pelo qual me dou conta, por meio de uma percepção imediata e implícita, de que sou corpo-ambiente, de que existo no mundo ou, melhor, sou o mundo, o mundo sou eu – e que essa relação, uma relação ontológica, me constitui como uma presença espaçotemporal, visando ao meu crescimento através de um processo de assimilação, de entrega entre meu organismo (meu corpo mundano) e o ambiente (meu mundo pensante), como um processo de ajustamento criativo.

O contato contém, ainda, do ponto de vista relacional, a ideia paradoxal de *união e separação*, sem que tal processo implique uma dicotomia, de tal modo que união e separação são funções paralelas de contato; isto é, o conceito de contato está necessariamente ligado aos conceitos de união e separação. O modo como as pessoas se encontram ou se desencontram revela o como de seu engajamento numa relação, a qual torna visíveis o grau e o nível de equilibração organísmica que elas codividem e que procede do processo de união e separação com que se relacionam. Se se conhece o modo como alguém faz contato, conhece-se também o nível de encontro e separação com que se aproxima das coisas ou pessoas.

Por meio do contato posso pensar minha existência e a do outro, pois fazer contato supõe, de um lado, que eu possa me ver como indivíduo, como um ser separado, sozinho no universo, e, de outro, que o nós é a confirmação da existência de uma comunhão maior. Quando estou só, posso estar em contato comigo mesmo ou não; quando estou com os outros, posso estar em contato com eles ou não, embora, até certo ponto, esteja sempre em contato com o outro, independentemente de minha vontade.

Crescimento e excitação são função do contato, não se podendo pensar contato sem que, implicitamente, se pense em crescimento. Para que isso ocorra, é preciso, espontaneamente, deixar-se levar pelo fluxo do encontro com o outro, com a vida, e acreditar no contato como gerador de mudanças e de possibilidades novas. Por meio do contato, encontro-me com minha coragem, meus medos, minha esperança. Por meio dele me reconheço possível e viável.

Desajuste, ao contrário, é a interrupção do contato como fluxo e elã vitais, é boicote ao processo que está no centro da natureza humana como expressão do encontro de diferentes realidades, em que uma se sobrepõe a outra, tentando destruí-la.

Contato é um ato de autoconsciência totalizante, envolvendo um processo no qual as funções sensoriais, motoras e cognitivas se unem, em complexa interdependência dinâmica, para produzir mudanças, crescimento, ajustamento criativo na pessoa e na sua relação com o mundo, por meio da energia de transformação que opera em total interação na relação sujeito-mundo, organismo/ambiente.

O contato pleno, fruto dessa totalidade fenomênica, é, por natureza, mobilizador, porque envolve intencionalidade e responsabilidade. Uma vez estabelecido, as partes envolvidas ficam em dependência uma da outra, como metades de uma realidade única, como figura e fundo em um processo de percepção.

Na natureza do contato estão incluídos valores, desejos, negações, memórias, antecipações, que operam no momento em que o encontro se dá e estão operando sempre, num nível não consciente, por uma matriz mental, interna, subjetiva, como uma antecâmara onde o encontro eu-mundo ocorre primeiro.

Nossas reações passam inconscientemente por essa matriz antes que delas sejamos conscientes, e são produto dessa relação matriz-objeto percebido, mental ou fisicamente. Estamos, portanto, de algum modo, sempre em contato com nosso mundo interior e exterior. Nossas ações são necessariamente resultado de valores anteriormente aceitos ou rejeitados, que, de algum modo, dão sentido à percepção de nossa realidade externa e à nossa percepção imediata, enriquecida agora da totalidade fenomênica introjetada. Isso nos permite ressignificar a realidade encontrada como fruto *a priori* de nossos valores e da pluralidade de relações própria da natureza percebida no aqui-agora imediatos.

No contato, portanto, divido-me entre observador da realidade externa, a qual, por sua vez, me observa, me influencia, e observado, enquanto observo a mim mesmo, procurando me distinguir do mundo fora de mim. Assim, o contato ocorre sempre, sobretudo na fronteira, como lugar de encontro das diferenças. Por outro lado, na razão em que mergulho minha realidade na realidade do outro, e vou extinguindo as relações subjetivas eu-mundo dentro de mim mesmo, perco minha individualidade e o sentido de minha individuação. Posso, então, terminar confluindo neuroticamente com o mundo fora de mim. O contato deixa de ser um processo transformador positivo para se tornar negativamente transformador, ou seja, passamos a vivenciar um ajustamento criativo disfuncional.

O contato é fruto da relação de diferença eu-mundo, eu no mundo. Síntese harmoniosa de diferenças, torna-se uma força transformadora porque traz, no seu processo, elementos buscados na semelhança existente entre seres diferentes e cujas energias confluem na produção de um terceiro elemento unificador.

Duas realidades de diferentes naturezas, portanto, jamais entrarão em contato, no sentido aqui exposto, porque, por natureza, não poderão construir uma totalidade ou unidade fenomênica, exceto se ao menos uma delas puder se relacionar no nível de intencionalidade: por exemplo, uma pessoa e a manhã, uma pessoa e uma árvore. Caso contrário, elas tocarão uma na outra, estarão uma no lugar da outra, uma ao lado da outra, conservando, porém, sua identidade e unidade internas anteriores.

Quando um contato pleno ocorre, os elementos anteriores componentes do contato se modificam, porque absorvem processos de outra realidade. O contato é uma totalidade diferente das partes que o compõem e as partes que o compõem são diferentes da totalidade que lhe dá origem.

Fronteira é o lugar privilegiado do encontro das diferenças. "Fronteira não é lugar, espaço, mas campo de presença, experiência temporal vivida na corporeidade" (Alvim, 2014a, p. 79). Quanto mais próxima é uma fronteira, mais se concentram aí energias de proteção, mudança e transformação. Quanto mais alguém se aproxima da fronteira de um país, por exemplo, mais deve estar atento às forças de proteção, ao patrulhamento próprio dos lugares de risco.

Atravessar a fronteira de alguma coisa ou de alguém significa entrar no terreno, no corpo, na alma, nos pensamentos do outro, talvez até tomar posse do desconhecido; é passar a conhecer como o outro lida com o mais íntimo de si, é adentrar no mistério do outro de uma forma sem retorno.

Fronteira é o lugar do encontro de forças e energias diferentes, independentemente de sua qualidade. O contato de duas pessoas, uma em Brasília e outra no Rio de Janeiro, por telefone, é normalmente menos intenso do que aquele de duas pessoas em um aeroporto ao se reencontrarem em um abraço gostoso após anos de distanciamento.

Em um processo de síntese, quanto maiores forem as diferenças, tanto maior será a energia de mudança e transformação ali presente, salvaguardada a questão da intencionalidade entre objetos de diferentes naturezas, pessoas e coisas. Quanto mais a energia fluir desse encontro de diferenças, tanto mais intenso o contato se fará. A energia fluirá também na medida em que duas ou mais pessoas se encontrem, movidas pelo engajamento de suas funções sensoriais, motoras e cognitivas, na consecução de um mesmo objetivo. Quanto mais as pessoas se encontrarem como totalidades vivas, tanto mais o contato ocorrerá e a transformação seguirá o seu curso.

É importante lembrar que se faz contato sempre que duas ou mais pessoas se encontram, independentemente de sua vontade. A vontade de encontrar-se altera a qualidade do contato. Há encontros de excelente qualidade e há encontros de péssima qualidade. A natureza e a qualidade do encontro são funções da qualidade do contato. O princípio de que quanto maiores forem as diferenças, tanto maior será a energia de mudança e transformação ali presente vale tanto para o contato positivo quanto para o negativo, dependendo dos objetivos do encontro.

O eu, que funciona como uma função do organismo, está mais atento quando, no seu processo decisório, depara com diferenças, isto é, vive a experiência de fronteira entre o organismo e o ambiente. É o diferente que aciona o eu. Diante do risco, da ameaça, do improviso, o eu dispara todos os seus alarmes à procura da solução mais rápida e econômica. O encontro entre diferentes pode, normalmente, ser mais nutritivo e criativo que entre iguais. E, neste último caso, o eu dorme tranquilo, porque no estado de tudo igual, ou de não ameaça, seus mecanismos de defesa estão programados para lidar com a rotina. Não se encontra sob ameaça nem sob a condição de ter de escolher algo eventualmente perigoso.

O processo psicoterapêutico deve facilitar um processo de diferenciação da realidade, com abertura total de horizontes, no qual a pessoa pense diferente, deseje diferente, se sinta diferente, aprenda a correr riscos e faça diferente, de tal modo que crie, em sua vida, formas de contato mais nutritivas e eficientes.

À medida que a pessoa aprende a fazer contatos reais, nos quais seu mundo encontra por inteiro o mundo do outro, ela aprende a selecionar o que é bom para si mesma. Um indivíduo com dificuldade de contato raramente sabe escolher.

Contato e mudança são elementos básicos e interiores de qualquer forma de psicoterapia. O processo de mudança ocorre na razão em que psicoterapeuta e cliente fazem contato, se experienciam como totalidades vivas, encarnadas, ultrapassam seus medos e não transformam seus sintomas em realidades que não se sustentam como tais. Essa travessia é difícil, os pés se machucam com as pedras ou o calor do caminho, mas é essa caminhada que permite ao cliente atravessar o Jordão e, do outro lado, encontrar leite e mel como respostas aos desafios da estrada percorrida.

Essa totalidade é, muitas vezes, quebrada pelo cotidiano, pela rotina, porque, habituados a dar sempre as mesmas respostas, terminamos por não discriminar mais o que sentimos, pensamos, fazemos ou dizemos. Simplesmente repetimos. É nesse contexto que entram as diversas formas de interromper o contato, as quais, quando contínuas, repetidas e perturbadoras, se tornam os chamados bloqueios, interrupções, resistências ou mecanismos de defesa, formas desesperadas de manter, a qualquer custo, a relação organísmica eu-mundo como tentativa de uma equilibração possível.

As interrupções como mecanismos de defesa do eu são uma forma de contato, tentativas, às vezes compulsivas, de um ajustamento criativo. Não é nossa intenção, no entanto, discutir a natureza dos bloqueios, interrupções ou resistências em si, os quais nos interessam apenas na condição de desequilibradores de um processo saudável no ciclo de contato e fatores de cura.

Saúde é contato, contato é saúde. Saúde é contato em ação. Qualquer interrupção disfuncional do contato implica uma perda na saúde. Contato é processo de autorregulação organísmica, é ajustamento criativo que ocorre, sobretudo, na experiência de diferenciação organismo/ambiente. Quando dizemos organismo, não nos estamos referindo a ele como sinônimo de corpo, como tal.

Organismo é o corpo no mundo, feito de terra, de carne, de ossos, corpo em relação, em negociação com a realidade com a qual ele se confronta.

Doença significa interrupção do contato em um dos quatro campos que compõem o espaço vital da pessoa: geobiológico, psicoemocional, socioambiental e sacrotranscendental. Doença implica a perda da totalidade organísmica, implica uma necessidade não satisfeita, implica um desequilíbrio, um grito de retorno ao meio da estrada. A doença é relacional. Não existe doença em si; privação de algo, ela se coloca entre a falta e o excesso, é privação do bem-estar. Doença é negação de parte da energia que emana de uma totalidade que perdeu sua configuração. O extremo é a morte, perda da energia total e, consequentemente, retorno ao nada.

Doença é negação, é subtração de energia em um campo total, em um subcampo ou subsistema em particular. A doença, portanto, ou o sintoma, não deve ser considerada em si, mas sempre em relação à pessoa e ao campo total no qual esta existe. Doença é fenômeno como processo; como dado, existe em alguém, e não como realidade em si mesma. Por isso, não deveríamos tratar a doença e sim a pessoa adoecida, na qual a relação harmoniosa entre os campos se quebrou. É nesse contexto que se entende a expressão de Fritz Perls: "Eu não tenho um coração doente, eu sou um coração doente", porque é a totalidade que adoece.

Tentando ampliar o conceito de natureza do contato, acredito que podemos, para compreender o funcionamento da psicopatologia e da psicoterapia, fazer uma ponte entre contato e diálogo, na visão buberiana.

Buber afirma que, para que o diálogo autêntico ocorra, são necessárias algumas condições:

- *Abertura*: uma visão inocente para o outro, na qual o conhecimento não ponha barreiras ao encontro.
- *Reciprocidade*: uma entrega descompromissada e confiante à realidade do outro.
- *Presença*: uma entrega à experiência imediata na aceitação da totalidade do outro, coisa ou pessoa, deixando-se acontecer.
- *Responsabilidade*: uma visão do outro como vejo a mim; uma entrega e uma resposta espontâneas na certeza de quem eu sou e na crença de quem o outro é.

Acredito também que o contato pleno precisa destes quatro momentos: abertura, reciprocidade, presença e responsabilidade.

Acredito que saúde é a soma desses quatro momentos, e creio também que doença é uma pane em um desses sistemas.

Como fica a *awareness*, a totalidade corporal, quando o corpo perde a abertura, perde a reciprocidade, perde a presença, quando perde a responsabilidade ou quando perde tudo? Poderíamos até imaginar quais seriam as doenças da abertura, as da reciprocidade, as da presença e as da responsabilidade quando o corpo perde contato com uma dessas dimensões existenciais, impedindo um diálogo entre elas e o mundo da objetividade.

> [...] todas as escolas de psicoterapia se concentraram nos diferentes modos de aumentar a *awareness*, seja por meio da palavra, dos exercícios musculares, da análise do caráter, de situações sociais experimentais, seja por meio da análise dos sonhos. (Perls, Hefferline e Goodman *apud* Robine, 2006, p. 76)
>
> *Awareness* e comportamento motor são, portanto, ligados para constituir o contato. (Robine, 2006, p. 76)

Esse gancho entre *awareness*, diálogo e contato pode nos remeter à verdadeira natureza da saúde e da doença, quer tendamos a ver esses dois fenômenos como realidades fenomênicas separadas, quer como um contínuo, no qual, com base em um ponto de equilibração, a realidade da relação eu-mundo começa a modificar-se.

É esse o contexto teórico em que entendemos realizar-se uma concepção de vida, de existência, com base no conceito de "contato".

A teoria gestáltica está centrada no conceito de contato, o qual, por sua vez, se faz compreensível com a dinamicidade do conceito de formação e transformação de *Gestalten*. Na realidade, porém, não basta formar e transformar *Gestalten*; é importante fechá-las. Só quando se fecha uma Gestalt o processo segue seu curso e o contato pode ser sentido como excelente porque nada ficou em aberto.

Fechar *Gestalten* é o caminho da saúde, pois, quanto mais *Gestalten* inacabadas se tem, menos saudável se é e mais pobre é o contato. De outro lado, fechar *Gestalten* significa encontrar o próprio sentido, a própria fisionomia: é tornar-se senhor de si mesmo.

VOZ MÉDIA E NATUREZA DO CONTATO DO ANIMAL NÃO-HUMANO E DO ANIMAL HUMANO

> De fato, a visão científica corrente é que existem vários graus de complexidade da inteligência presente em mamíferos e que compartilhamos com eles muitas das características que previamente pensávamos ser exclusivas do ser humano, tal como linguagem simbólica, que se comprovou também ser possível em antropoides. O estudo da evolução da inteligência humana forneceu evidências de que parece haver uma "massa crítica" de neurônios de maneira a conseguir consciência semelhante à dos humanos, linguagem e cognição, mas que essas propriedades da mente parecem estar já presentes em outras espécies com cérebros altamente desenvolvidos, embora em forma mais primitiva ou reduzida. (Correia Filho, 2009)

> Nós ainda sabemos muito pouco sobre o animal, nós sabemos apenas que ele é um vivente, isto é, uma subjetividade. Nós mesmos o imaginamos implicitamente como o vivente por excelência, o vivente enquanto tal: a subjetividade pura, polarizando todas as

> coisas a partir de si mesmo e centralizando sobre si todo o aparecer possível. (Bimbenet, 2011, p. 123)

> [...] Um instante de reflexão me recorda que o animal nunca percebe mais que aquilo que convém a suas necessidades, que "o" mundo não é nunca mais que "seu" mundo [...] O mundo que literalmente "cerca", "rodeia" o vivente, o mundo aberto pelo "círculo" de suas pulsões específicas, configurado ou relativizado pelas características constitutivas de sua espécie. (*Ibidem*, p. 95)

> O animal não "toma" seu ambiente como sendo a totalidade daquilo que é, ele não "percebe" o mundo em seus estímulos, ou ainda, ele não "julga" que seu meio é o mundo. [...] No conjunto ilimitado das excitações que compõem seu entorno geográfico (Umgebung), o animal somente percebe aquilo que ele previamente investiu de um valor vital e que assim reveste a forma de sinal (Merkmal). (*Ibidem*, p. 102-3)

O presente texto nos remete a uma questão que tem passado batida ao longo dos anos: nossa forma de fazer contato, de nos relacionarmos com os animais, na maioria das vezes tratados como se eles nada tivessem que ver conosco. Deixo em suspenso, momentaneamente, essa citação para trazer à tona outra questão que, a meu aviso, tem toda relação com o modo como os animais percebem a realidade.

Dito isso, pode ainda parecer fora do contexto comentar um tempo de verbo chamado de voz *média/intermediária* como forma de contato de alta complexidade. Essa questão, trazida por Perls, Hefferline e Goodman, não moveu, entretanto, as pessoas a refletir sobre ela.

Vejo a questão da *voz média, intermediária ou depoente* (do latim *de-ponere*: pôr e retirar) como uma forma complexa de contato, pertinente ao modo como podemos agir durante uma sessão de psicoterapia. Os verbos da voz depoente têm a forma passiva, são conjugados no passivo e, estranhamente, têm objeto direto. Eles combinam, ao mesmo tempo, agir e sofrer a ação, como se tudo no universo tivesse uma dupla direção, tipo: quem dá também recebe, o que vai volta, quem ama também é amado (o ato de amar o outro implica ser amado por si mesmo), sendo que essa duplicidade de movimento ocorre simultaneamente, ou seja, espaço e tempo se tornam espaço-tempo, neste instante. Talvez caiba dizer aqui que a voz média inclui ontologicamente a simultaneidade tempo-espaço no movimento presente.

O espaço é visível, é quantidade (objeto direto), tem que ver com "ter"; o tempo é invisível, é qualidade (voz passiva) tem que ver com "ser". Se tempo e espaço se misturam na voz média, somos, ao mesmo tempo, quantidade invisível e qualidade visível. Estamos, simultaneamente, em "lugares" diferentes nos quais tempo-espaço coexistem. Não estou excluído de nada que eu faça nem estou incluído em tudo que faço.

O contato, enquanto sistema de ajustamentos criativos, é operado por meio de verbos transitivos diretos e indiretos, ativos e passivos e de verbos intransitivos, mudando de quantidade e qualidade dependendo em que voz esteja. É como se existisse uma neutralidade implícita em tudo que se faz. Sou ontologicamente orientado a estar sempre no meio, é da natureza humana ser ao mesmo tempo ativo e passivo. Talvez daí nasça o princípio de que somos ontologicamente livres.

O Gestalt-terapeuta, movido pela metodologia da *epoché*, se encontra em princípio na voz média, que se constitui em uma das complexas formas do agir humano, porque ele se coloca, a partir da própria natureza do processo psicoterapêutico, sujeito da relação espaço-tempo; ele "sabe" tudo (quantidade/espaço), mas age como se não soubesse (qualidade/tempo), influenciado diretamente pelo processo da intencionalidade.

O ciclo do contato é um sistema em movimento; nele tudo se move, pois o processo humano de crescimento é automovente, caminha de espaço a espaço, de etapa a etapa, que é o lugar onde a realidade acontece.

"Contato final" é, ao mesmo tempo, fim e começo de um movimento novo e de um novo movimento, isto é, a percepção de que a "retroflexão" ficou para trás, está resolvida, e isso se chama "satisfação". Nesse ponto, espaço e tempo, na sua acepção comum, param e surge um tipo diferente de experiência espaço-tempo, uma relação espaço-tempo em estado de estar sendo vivida, que é a experiência da emoção de se estar em estado de retirada, nem ativo nem passivo; é o lugar da voz média, nem se retirando, nem retirando, simplesmente se deixando acontecer.

Voz média ou modo intermediário ou voz depoente, como vem sendo chamada, é um verbo que não é nem passivo nem ativo, pois, mais que um movimento, *ele representa uma forma de contato,* um estado de estar "parado". *Ele registra o instante.* Nessa voz, a pessoa, como autoexperiência de totalidade, não faz uma opção, ela é a opção que se movimenta nela espontaneamente, sem uma diretividade. Apesar de estar em estado de espera, ela está inteira na sua relação organismo/ambiente, e é essa relação que lhe permite sair do lugar. Trata-se de uma forma absoluta de contato. A pessoa está absolutamente com ela sem deixar de estar absolutamente com o outro. A pessoa em estado de retirada, confluindo criadoramente com ela na sua relação com o outro, parte na direção dele sem deixar a si própria nem predeterminar absolutamente qual será o resultado. Ela simplesmente se deixa acontecer na direção do outro.

Se esse raciocínio procede, talvez possamos dizer que os animais vivem a voz média; eles agem, mas seu agir não vem de um passado que determina seu gesto futuro. Eles vivem o instante, a concretude de um presente que passa diante de sua percepção. Eles não experimentam: seguem e se seguem instante por instante. Agem e sofrem a ação de seu agir, sem se dar conta do que estão fazendo. É um fazer animal, que não é fruto nem do passado (objeto direto) nem do futuro (voz passiva). Eles foram feitos para agir assim e agem, não controlam nem são controlados – é da natureza deles ser assim e agir assim. Quando fomos deixando de experienciar o animal que somos, perdemos essa qualidade, este jeito de ser: somos "servos" do passado e "senhores" do futuro.

Espaço e tempo são nossos companheiros de existência. Eu sou o tempo e o espaço que experimentei e vivi ao longo dos anos. Às vezes fui mais espaço, às vezes, mais tempo. Meu instante provoca em mim ora ser mais espacial, ora mais temporal, embora não se possa separar um do outro. Minha *necessidade* me leva a ser ora mais um, ora mais outro. O espaço é *pré-visível*, o tempo, não. Por isso o tempo nos angustia mais que o espaço. O espaço antecede ao tempo e, quando o tempo chega, ele se torna "senhor" do espaço. O espaço é um *quantum*; o tempo, um *qualis*. O instante é apenas o início da eternidade. Nada controla o instante; o espaço, sim.

Essa ontologia levou a pessoa humana a agir ou experimentar três modos verbais: ativamente, passivamente e nem um nem outro, um modo médio. Assim, temos verbos transitivos direto e indireto e verbos passivos, e antigamente tínhamos a voz ou o modo médio, também chamado de intermediário e/ou depoente, que corresponde ao nosso verbo intransitivo e não tem nenhum tipo de objeto. Por exemplo: os verbos *permanecer*, *chover* etc. São verbos que registram o instante, não programam nem são programados. O latim trabalha ainda com a voz depoente.

Nesse contexto, faço algumas reflexões e me transfiro para alguns de nossos conceitos. Começo fazendo uma distinção entre ajustamento criativo e criador.

O ato de um *ajustamento criativo* ocorre tanto na voz ativa quanto na passiva. Eu recebo você e/ou sou recebido por você. No ajustamento criativo, lido com a forma e com a função da coisa (humana e não humana) com a qual me envolvo, e/mas sua estrutura continua intacta. (Observo que a estrutura, embora permaneça a mesma, tem certo grau de flexibilidade.)

O *ajustamento criador* lida, acontece na voz depoente/média/intermediária: aqui a criação é possível e o diferente se torna um fato novo. Aqui, estrutura, forma e função da coisa anterior sofrem modificações. Aqui acontece uma exclusão temporal e espacial; é, paradoxalmente, uma experiência de uma *awareness* não consciente (*unconscious awareness*) (Robine, 2006). Ela, a experiência, se deixa apenas acontecer e se entrega, pura e simplesmente, ao outro. No ajustamento criador, *o ser vira um ente*, aqui-agora, real, porque a coisa se deixou ser *trans-formada*, ela se torna indiferente à sua realidade atual. Não tem passado nem futuro, está em estado de retirada – e aí tudo pode acontecer.

Nós, humanos, perdemos a capacidade de vivenciar a voz média, que permaneceu, no processo evolutivo, um *proprium* dos animais ou pertencendo aos animais. Quando, entretanto, o humano "deixa" que o animal que mora nele ponha a cabeça para fora, pode reviver a voz média. A voz ativa e passiva é própria do ser humano, por evolução biofisiológica e cultural, a voz depoente é própria do animal. Ele só age ou sofre a ação se e quando necessário; se não, ele está sempre em estado de retirada. Vive uma intemporalidade passiva. Quando "deixamos", no nosso processo evolutivo, o jeito animal de ser, deixamos nossa animalidade se desconectar de nossa realidade cotidiana, assumimos a voz ativa e passiva.

Retirada/confluência é estar em estado de fluidez, de disponibilidade. A *confluência, como ajustamento criativo funcional*, é a ausência da alteridade, é disponibilidade para o possível. É experiência de vazio. É a voz depoente no pleno sentido. Eu sou o mundo, o mundo sou eu. Estou em estado de espera, às vezes parado. Confluência é a retirada da possibilidade do diferente.

Pré-contato é a voz média. Voz média é silêncio, é aquiescência, é potencialidade, é entrega a um ato possível, é disponibilidade para "uma imparcialidade criativa". (Perls, Hefferline e Goodman *apud* Robine, 2006, p. 70). É estado de pré-contato.

Os animais pensam, mas não sabem que pensam. Desenvolvem, às vezes, raciocínios complexos semelhantes aos de uma criança que já tem certo raciocínio lógico formal. O fato de eles não saberem que pensam os mantêm na voz média, a voz da espera de que o mundo de fora os solicite. Será que, seguindo esse raciocínio, poderíamos dizer que o animal está sempre no pré-contato, à espera de um "eu" que os solicite?

O pensamento controlado, sabido, provocativo, entretanto, tira o homem da voz média. O animal está sempre no presente, o campo dele é sempre um campo de presença "ausente". Está sempre em estado de vivência espacial, sem o que estaria em estado constante de risco. O tempo é coisa dos humanos, da voz ativa e passiva. Eles vivem a experiência da corporeidade, silenciosa e implícita, sustentada pela espacialidade.

Ao contrário do homem, que convive permanentemente com o *passado*, ele sofre o passado que o segue – sem, porém, interferir nele. O passado é senhor da voz passiva, no sentido de que somos vítimas do passado, vivemos sofrendo o passado, que é constituído pelo tempo – não o largamos e, no entanto, ele não nos é acessível materialmente. Ou vivemos *no futuro* (voz ativa, no sentido de que o futuro é constituído, construído, é uma criação, se antevê, é visualizado "materialmente", podendo-se dizer que o futuro é mais ligado ao espaço). *O presente,* diferentemente, é convocado, não é uma expressão natural, espontânea, por isso dificilmente o homem se encontra na voz média: ele não se despoja do passado nem do futuro; o homem é um ser de controle, e a voz média é um estado de ausência de controle, é vivência de liberdade, é a vivência do instante como um ato de autoentrega.

Se Gestalt-terapia é permissão para criar e criar é um ato de suprema liberdade, a criação acontece no modo médio. Quanto mais eu me largo, me *des-controlo*, me oculto, experiencio minha totalidade física, operacional e existencial, me deixando acontecer, mais me encontro no modo médio, lugar da saída natural da potência ao ato criador.

Estou pensando que o *método fenomenológico* é uma expressão sofisticada da voz média – no sentido de que experienciar um não saber metodológico é o caminho para se ir às coisas mesmas, e de que a voz média é também a suspensão da espacialidade e da temporalidade, é a entrega ao vazio fértil de onde um ajustamento criador pode, de fato, brotar. O método fenomenológico nos propõe algo muito próximo da voz média/do modo médio.

Estou pensando também que o *momento da psicoterapia*, o ato de se colocar diante de alguém como facilitador de um processo de busca de si mesmo, de se encontrar com a própria realidade, demanda o exercício consciente da voz média, que é diferente de uma neutralidade diante do outro, pois a voz média implica um deixar-se acontecer na direção do outro e sobretudo com o outro – ela é uma espécie de afirmação ontológica, paradoxal até, da absoluta soberania da alteridade do outro, quando este se entrega a alguém para ser cuidado.

"Claro, o homem foi um animal; entretanto, *ele não o é mais*. Ele está 'privado' de sua origem animal, no sentido de que Heidegger dava a este termo: vivendo *com ela* e, entretanto, *sem ela*" (Bimbenet, 2011, p. 27).

Antes de terminar este tópico sobre a natureza do contato, farei um reflexão sobre a natureza da natureza humana e a natureza da natureza animal, dado que, há muito, deixamos para trás o animal que mora em nós e ocupa profundas áreas de nossa corporeidade, de nossa visibilidade existencial, mas está proibido de aparecer – a não ser na clandestinidade, entre quatro paredes, nas caladas e nos mistérios da noite, desfigurando a beleza, a importância da forma de fazer contato do animal que habita em nós.

Essa fala é necessária por eu entender que a pouca experiência de nossa animalidade passa exatamente pelo fato de que, ao longo de nossa história, não nos temos dado conta de que o existencial ambientalidade é essencialmente necessário à constituição de nossa humanidade. A ausência de uma *awareness* profunda sobre nossa ambientalidade levou a uma desconexão total e desastrosa da pessoa humana com seu ambiente.

ESSÊNCIA E EXISTÊNCIA

Na Figura 1, vemos os vértices ambientalidade, animalidade e racionalidade – os três existenciais da essência humana.

Figura 1

Temos sido definidos, ao longo dos séculos, como animal racional. Definição que deixa de lado, numa ordem de espacialidade e temporalidade ontológicas, o existencial ambientalidade, do qual emana, na linha da evolução, nossa animalidade. Assim como nossa racionalidade nasce de nossa animalidade, nossa animalidade nasce de nossa ambientalidade. De maneira simples: se, quando tiramos de alguma coisa uma de suas partes, esta desaparece (se desmancha sua estrutura constitutiva), a parte retirada faz parte essencial da coisa da qual foi retirada. Se tirarmos da essência humana o existencial animalidade, desaparecemos; se tirarmos racionalidade, desaparecemos; e, se tirarmos ambientalidade, desaparecemos. Ambientalidade é tudo aquilo que mora em nós, que nos habita, como o calor, a água, o ar, a terra, os mesmos quatro elementos de que o universo é composto e com os quais codividimos o ambiente. Somos calor, água, terra, ar, micropartículas de um universo do qual somos parte constitutiva. Sou mundo, o mundo sou eu.

"O contato, que é *awareness* do campo e resposta motora no campo" (Perls, Hefferline e Goodman, 1997, p. 44), habita o homem, organismo-humano-animal, expressão de uma força poderosa e autorregulada, chamada de "sabedoria ecológica", por meio da qual o homem rompe a dicotomia homem e animal (Robine, 2006, p. 46-47) e experiencia sua presença no mundo a partir de outro referencial: ser ambiental-animal-racional.

> Isso pressupõe que o organismo "é completamente humano em sua animalidade e animal em sua humanidade, ou ainda que "se a animalidade deve ser humanizada, o humano deve ser previamente animalizado". (Roustang *apud* Robine, 2006, p. 46)
>
> O animal tem um mundo – mas não o possui, sua "pobreza em mundo" se realiza no entrecruzamento da "configuração de mundo" e da "ausência de mundo", entre o homem e a pedra. (Bimbenet, 2011, p. 123)

Somos o único animal que não age como animal. O animal que mora em nós há muito foi privado do mundo; o mundo social, político, econômico, estético há muito invadiu a animalidade que mora em nós; somos animais excluídos da existência, vivemos uma absoluta clandestinidade estética e ética na condição de visibilidade natural, espontânea.

Estamos a necessitar de uma fenomenologia da animalidade que nos remeta ao "ir às coisas mesmas" do que significa sermos animais, que nos coloque diante de nossa essência por meio de uma redução fenomenológica, que nos dite nossa verdadeira natureza e nos mostre o sentido de estar aqui como os animais que, de fato, somos. Nossa existência não terá sentido enquanto não recuperarmos nossa dimensão de animalidade. Este me parece um caminho fundamental, quase único, que nos resta assumir para darmos ao mundo da máquina e da matéria a alma, o espírito, o coração – uma resposta que nos traga de volta o sentido verdadeiro de ser pessoa.

"Quando falam de 'natureza humana', os autores da teoria da Gestalt-terapia se referem ao 'organismo humano animal', isto é, eles consideram que a natureza humana procede tanto de fatores fisiológicos e animais como de fatores culturais e sociais" (Robine, 2006, p. 45).

Somos natureza humana, somos organismo-animal-humano e procedemos de fatores fisiológicos-animais-culturais-sociais – que, juntos e em intraconexão, formam o ser humano, mulher-homem. Essas propriedades trabalham em conjunto e, por isso, pensar uma separada da outra é mera abstação. Juntas elas formam um composto metafísico, de tal modo que, em nível orgânico, trabalham com tal harmonia que é impossível separar uma da outra, embora didaticamente possamos selecionar uma delas para reflexões ou pesquisas posteriores.

"Se a relação do homem ao animal nos conduz tão facilmente aos extremos do reducionismo ou do humanismo é porque ela foi raramente objeto de exame filosófico rigoroso" (Bimbenet, 2011, p. 31).

Podemos olhar o ser humano partindo de sua totalidade ou de uma de suas partes; na primeira perspectiva, o veremos, na condição de totalidade existencial, através de um olhar estético, de tal modo que a singularidade e a individualidade desaparecem sob o efeito de um encantamento despersonalizante; na segunda, podemos olhar esse organismo humano animal, chamado pessoa, através de suas partes e produzir uma descaracterização da natureza humana, no momento em que as partes não dialogam uma com a outra.

> A teoria da natureza humana animal contém então a ordem de autorregulação sadia do organismo. [...] se nada exterior ao campo vier perturbar o processo de contato em curso, a interação organismo/ambiente se desenrolará a partir de e em benefício da autorregulação do organismo. [...] O animal, não perturbado pelo homem, come aquilo de que precisa e não mais que isso. (Robine, 2006, p. 49-51)

Estou convencido de que nossa forma de fazer contato não consegue, muitas vezes, se fechar sobre si mesma pela perda da experiência e vivência de nossa animalidade. Precisamos passar de uma forma de contato racionalizado para uma forma de contato animalizado. Passar de uma forma de viver animalizada que nos espanta e apavora para uma forma de viver animalizada que nos encante, que nos liberte, que nos faça descobrir a realidade do mundo tal qual ela é. *Esse processo passa necessariamente pela experiência e vivência de nossa dimensão ambiental que se perdeu, quando também perdemos nossa dimensão da animalidade.*

Essa é uma estrada que precisa ser aberta nos nossos consultórios: como introduzir em nossas sessões a experiência e vivência do animal que mora em nós, há muito tempo escorraçada da nossa vida?

> Ao imaginar um animal que perambula livremente num ambiente vasto e variado, percebemos que o número e a extensão das funções-contato têm de ser imensos, porque fundamentalmente um organismo vive em seu ambiente por meio da manutenção de sua diferença, e o que é mais importante, *por meio da assimilação do ambiente à sua diferença*; e é na fronteira que os perigos são rejeitados, os obstáculos superados e o assimilável é selecionado e apropriado. (Perls, Hefferline e Goodman, 1997, p. 44)

E, nas palavras dos mesmos autores (*ibidem*, p. 42), "empregamos a palavra 'contato' – 'em contato com' objetos – como subjacente tanto à *awareness* sensorial como ao comportamento motor".

2.
O ciclo do contato

A psicologia é o estudo dos ajustamentos criativos. Seu tema é a transição, sempre renovada, entre a novidade e a rotina que resulta em assimilação e crescimento.
(Perls, Hefferline e Goodman, 1997, p. 45)

O ciclo do contato é nosso instrumento fenomenológico de acessar a realidade do outro a partir de um olhar processual de como ele cresce ou interrompe seu ajustamento criativo. Observo que alguns autores também operacionalizam e desenvolvem uma teoria do ciclo do contato com base em outros referenciais de como as pessoas se ajustam à procura de um melhor e mais eficaz equilíbrio.

O ciclo do contato e sua teoria, no modelo aqui apresentado e desenvolvido, nascem de minha reflexão e experiência pessoais, e de pesquisas clínicas na tentativa de visualizar o processo psicoterapêutico como algo que tem uma lógica interna e pode ser demonstrado, servindo de instrumento e modelo de trabalho. Cheguei a ele por uma integração, longamente pensada, do trabalho de diversos autores.

Agora de maneira técnica:

As definições que compõem o ciclo do contato, tanto dos fatores de cura quanto dos bloqueios ou interrupções do contato, passaram por uma validação, seguindo os passos: 1) definição de dicionário da língua portuguesa; 2) definição de dicionários especializados na área; 3) compreensão da definição por pessoas da área; 4) compreensão da definição por diferentes tipos de possíveis usuários.

Isso obedeceu a uma rigorosa metodologia de pesquisa, o que, na medida do possível, nos permite conceituar a natureza da psicoterapia – especificamente, da Gestalt-terapia – como um processo experimental, portanto com visibilidade epistemológica.

Definir psicoterapia passa necessariamente por vários parâmetros – como a questão da espacialidade e temporalidade em que ela ocorre, as pessoas do cliente e do psicoterapeuta com os diversos campos em que eles agem, objetivos gerais e específicos do processo psicoterapêutico e, entre outros mais, a complexa questão da cultura, individual, grupal, comunitária – diretamente ligados à questão da mudança, objetivo natural da psicoterapia.

Fazer psicoterapia, portanto, objetiva, entre outros caminhos, é olhar o outro a partir do olhar dele, ouvi-lo a partir de como ele se ouve e, ao mesmo tempo, estar em sintonia com ele numa confluência funcional. E, de outro lado, experienciar uma profunda consciência de que saúde é movimento, mudança, encontro com o diferente, é estar o tempo todo em estado de travessia à procura de si mesmo.

Isso exige que cliente e psicoterapeuta se constituam em uma configuração, em uma Gestalt de modo que, juntos, formem uma unidade de sentido, que é o que nos move para além de nós mesmos.

Nesse sentido, e para tornar mais claro e lógico aquilo de que estamos falando, defino o vocábulo Gestalt: "Teoria que considera fenômenos psicológicos como totalidades organizadas, indivisíveis, articuladas, isto é, como configuração" (Houaiss, 2009, p. 1.449)

De maneira extremamente simplificada, eu poderia estender esse conteúdo teórico e descrever a Gestalt-terapia como um processo psicoterapêutico, uma configuração cujas partes estão de tal modo organizadas, indivisíveis e articuladas que formam, do ponto de vista operacional, um sistema teórico em ação. Assim, quando chega um cliente ao meu consultório, vou ouvi-lo e, ao final, à guisa de um diagnóstico processual, poderia me perguntar: esse cliente está organizado, indivisível, articulado? Se sim, ele forma uma Gestalt sadia; se não, estou diante de uma Gestalt fraca, interrompida, inacabada.

Indo além, defino Gestalt-terapia partindo da obra seminal de Perls, Hefferline e Goodman (1997, p. 24):

> A Gestalt-terapia alimenta-se da noção da psicologia da Gestalt clássica de que uma massa de dados interminável e rudimentar, que nos é apresentada pelo ambiente, é organizada e moldada pelo sujeito da percepção em "todos", que têm tipicamente forma e estrutura e que são esses todos, subjetivamente estruturados, que compõem a experiência de uma pessoa e não os dados brutos incognoscíveis.

Essa definição, de uma maneira diferente, como podemos facilmente observar, tem tudo que ver com a definição da palavra *Gestalt*, sobretudo quando ela introduz o conceito de *todo*, de *totalidade*, que é por onde o processo psicoterapêutico se inicia a partir do olhar holístico do psicoterapeuta.

> A terapia – como análise gestáltica – consiste, assim, em analisar a estrutura interna da experiência concreta, qualquer que seja o grau de contato desta; não tanto o *que* está sendo experienciado, relembrado, feito ou dito etc., mas a maneira *como* o que está sendo relembrado é relembrado, ou como o que é dito é dito, com que expressão facial, tom de voz, sintaxe, postura, afeto, omissão, consideração ou falta de consideração para com a outra pessoa etc. (*Ibidem*, p. 46)

É importante que, desde o início deste texto, coloquemos claro, por meio dessas definições, a partir de que lugar estamos trabalhando com a Teoria do Ciclo do Contato que é objeto deste trabalho.

A Gestalt-terapia nasce em meados do século passado, filha da pós-modernidade, trazendo na sua estrutura a convivência com grandes temas da época e tentando respostas para um novo mundo que estava apenas começando. Pensada por sete homens e uma mulher, Laura Perls, a Gestalt-terapia se propôs ir além de seu tempo, pensar uma teoria e uma ação que juntas pudessem contemplar, ir ao encontro de um espaço e de um tempo que estavam apenas despontando.

Às vezes de maneira clara e, outras vezes, por citações e referências aqui e acolá, o grupo fundador foi percorrendo aquelas teorias que, no seu conjunto, formassem uma Gestalt, um campo teórico no qual todas as teorias se mesclassem de maneira organizada, articulada e indivisível, formando uma totalidade epistemologicamente segura, confiável, operacionalizável, a qual chamo de *campo holístico epistemológico* e apresento a seguir (Figura 2).

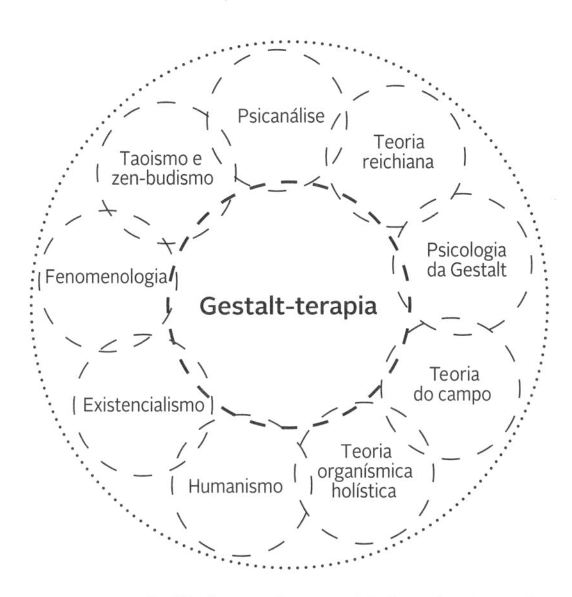

Figura 2 – Campo holístico epistemológico da Gestalt-terapia

A Gestalt-terapia nasce destas nove teorias. Em cada uma delas, a abordagem foi buscar conceitos que, juntos, dessem solidez ao seu campo teórico. Ou seja, a Gestalt-terapia tem um pouco que ver com cada uma delas. Ao mesmo tempo em que procede de cada uma dessas teorias, todas elas, por sua vez, têm algo em comum entre si, o que por conseguinte as transforma em um único campo sem que percam sua estrutura singular. Esse modelo é um campo teórico em que, a certo nível, tudo está ligado a tudo, o que permite, na prática, que a Gestalt-terapia seja acessada a partir de qualquer uma dessas teorias. Considero que existem pontos em comum entre todas elas, como a questão do contato, da busca do real, do sentido da existência humana.

Embora a Gestalt-terapia seja filha de teorias e filosofias que lhe dão sustentação, ela, como uma filha adulta, chegou a maturidade e tem autonomia para, baseada em um corpo teórico clínico, se sustentar e se apresentar com cara própria. Estou falando de uma série de conceitos – como totalidade, awareness, autoecorregulação organísmica, aqui-agora, parte-todo, ajustamento criativo, teoria paradoxal da mudança e outros – que compõem o campo da Gestalt clínica e, embora originalmente tenham relação com suas teorias e filosofias de base, passaram a ter existência própria, formando um campo teórico-clínico sólido e independente. Por meio desses conceitos, o ciclo do contato encontra os melhores caminhos para ser o que ele se propõe a ser: um modelo de diagnóstico e prognóstico.

"Esse imenso campo teórico é de tal modo harmonioso, inter e intraligado que" (Yontef *apud* Clarkson, 1989, p. 26), "quando se trabalha bem com uma dessas teorias, estamos trabalhando com todas elas" (Ribeiro, 2011, p. 17).

A Gestalt-terapia é uma psicoterapia fenomenológico-existencial aplicada, interativa, integrativa e descritiva que se fundamenta em um dado conceito de mundo e de pessoa e busca compreender o ser humano como uma totalidade, enquanto *imerso no imediato de sua experiência*, desvelando aqui-agora, em sua plenitude, o vivido na sua relação com o outro e com o mundo.

Viver é estar em contato. Tudo no universo está em contato, que é a chama da vida que atrai a energia e aquece corpos e almas ou corpos-almas no encontrar e no satisfazer de suas necessidades.

Somos seres de relação, e só por abstração é possível pensar alguém, singular e individualmente, sozinho, isolado. Somos configurações vivas. Alguém absolutamente só não teria nem mesmo consciência de sua realidade, pois é pelo contato com o outro que nos percebemos existentes.

Penso o contato como uma questão energética, como uma força presente no ser que é responsável pelo movimento dos corpos. Nesse sentido, sou levado a concluir que os corpos se comunicam energeticamente e que a energia é o instrumento ou o processo pelo qual os corpos vivem e se inter-relacionam.

Energia é movimento, e é pelo movimento que encontramos os corpos dando e recebendo energia; esse dar e receber define a pessoa que somos, podendo-se, então, dizer que também somos o contato que fazemos por meio da energia que expandimos no encontro com o outro.

Contato é emoção experienciada, é movimento à procura de mudança, é energia que transforma, é vida acontecendo, é consciência dando sentido à realidade. Contato é um macroprocesso energético que opera na transformação de todas as coisas e não pode ser pensado como algo restrito entre dois pequenos ou únicos seres perdidos no universo.

"Contato: realidade mais simples e primeira. [...] *Awareness* do campo ou resposta motora neste campo" (Perls, Hefferline e Goodman, 1997, p. 41-44).

Estamos permanentemente em contato. Somos um corpo; nele habitamos, vivemos e nos movemos. Na razão em que olho para mim, na razão em que deixo de ser um clandestino de mim mesmo, me sinto cada vez mais mergulhado no universo – meu, do outro, nosso. Dou-me conta de que sou um corpo no mundo em movimento, em interação. Sou um corpo incrustado no universo, somos uma coisa só, transcendo, sou vida pura, pura vida.

O universo é a mãe misteriosa de nossa relação organismo-ambiente, de nossa ambientalidade-animalidade-racionalidade, existenciais que definem nossas mais complexas formas de contato entre todos os seres e permite a evolução de todas as coisas, pois, sem contato, tudo definha e morre.

Precisamos sair de uma pobre discussão conceitual sobre contato, que diz respeito apenas a pessoas, para inseri-la no contexto de transformação por que passa o cosmo a todo instante.

O campo é o lugar do contato; é nele que tudo acontece, permitindo que todos os seres em relação, ao se definirem pelo tipo de contato que os distingue, se singularizem e possam ser reconhecidos.

> O conceito de campo psicológico supõe que tudo aquilo que afeta o comportamento, num momento dado, deve ser representado como parte integrante [*sic*] do campo existente naquele momento. O campo não deve, porém, ser compreendido como uma realidade física, mas sim fenomênica. [...] Campo psicológico, é, portanto, o espaço de vida considerado dinamicamente, isto é, a totalidade dos fatos coexistentes e mutuamente interdependentes, compreendendo tanto a pessoa como o meio. (Garcia-Roza, 1974, p. 135-36)

Estamos acostumados a dizer que o contato se dá na fronteira. Dizendo isso, estamos imaginando que existe sempre uma fronteira, onde quer que estejamos, e que tal fato pode ser delimitador de atitudes ou comportamentos humanos. O campo é composto de microáreas ambientais, físicas, sociais, psicológicas, e nele existem fronteiras e contornos. A fronteira é pensada como o lugar do encontro das diferenças, do crescimento, e não como algo que determina o contato. Nós, como tudo no universo, somos um campo com fronteiras e contornos, mas não são as fronteiras ou os contornos os únicos lugares de contato, pois o contato se dá no campo que inclui fronteiras e contornos.

Fronteira, como afirma Alvim (2014a), não é lugar, espaço, mas um campo de presença, experiência temporal vivida na corporeidade.

> Todo contato é ajustamento criativo do organismo e ambiente. Resposta *consciente* no campo – como orientação e como manipulação – é o instrumento de crescimento no campo. Crescimento é a função de fronteira de contato no campo organismo/ambiente; é por meio de ajustamento criativo, mudança e crescimento que as unidades orgânicas complicadas persistem na unidade maior do campo. (Perls, Hefferline e Goodman, 1997, p. 45)

O contato me torna presente no campo. A presença é uma propriedade da totalidade organismo-ambiente vivida no comprometimento da relação eu-outro. Sem experiência de totalidade, a presença não ocorre e consequentemente o crescimento fica de fora. Estar corporalmente consciente no mundo leva-me a me dar conta de que o outro é minha espacialidade vivida na temporalidade do aqui-agora.

Na verdade, não vivemos delimitados só por fronteiras, sejam elas físicas ou psicológicas, e nem é só a fronteira o lugar marcado para que encontros de contato aconteçam. Vivemos em campos, dentro dos quais somos, existimos e nos movemos.

O campo primeiro e mais importante é nosso corpo, físico e psíquico, que constitui nosso espaço de vida, síntese e reflexo de nossa totalidade em dado momento. Podemos, dizer, portanto, que todo contato se dá no espaço de vida da pessoa e que seu corpo reflete as energias que emanam desse mesmo campo. O corpo é, portanto, sujeito e objeto do contato, tudo começando e terminando nele.

Existem vários níveis de contato: consigo mesmo, com o outro, com o mundo, do mundo conosco. Esses níveis de contato são fruto, primeiro, da percepção subjetiva que a pessoa tem de como se relaciona com o outro e, segundo, de como a realidade objetiva é captada pela nossa subjetividade.

A noção de contato, portanto, pode funcionar nos níveis: da identidade, como quando duas pessoas confirmam suas percepções e as consideram idênticas; da analogia, quando ambas as percepções se reconhecem como parecidas, mas não idênticas; da equivocidade, quando o que se percebeu chegou completamente diferente para dois observadores em contato. A afirmação, portanto, de que o contato se dá na fronteira deve ser entendida mais amplamente, enquanto o contato se dá no campo e se intensifica nas fronteiras, embora isso, por si só, não explique a realidade complexa do processo de contato. O contato é uma provocação da realidade e ocorre entre duas realidades disponíveis para o encontro.

O contato pode ocorrer, fisicamente, de mim para comigo mesmo e de mim para com o outro, seja ele um contato humano ou não humano, sendo sua gênese e desenvolvimento completamente diferentes em ambas as situações.

Um velho axioma filosófico afirma que nada vai ao pensamento sem antes passar pelos sentidos. Ou seja, todo contato implica uma relação eu-mundo. Primeiro eu existo, depois sinto, penso, faço e falo. Primeiro eu percebo a realidade fora de mim, depois eu percebo que percebi e percebo o que percebi.

Outra conclusão paralela, nesse contexto, é que, antes de tudo, eu percebo o espaço, objeto primeiro para meus sentidos; depois, percebo o tempo, objeto primeiro para meu pensar; e só "depois" espaço-tempo são espaço-tempo para meus sentidos.

Dizem Toben e Wolf (2013): "Construímos a nós mesmos e construímos uns aos outros para além do tempo. [...] Todas as coisas estão interconectadas. Cada parte do seu universo está diretamente conectada a cada uma das outras partes" (p. 21 e 33). E: "Em padrões que variam constantemente, cada universo individual forma todos os outros, e cada universo está conectado com cada um dos outros e com todos os outros" (p. 23).

Meu contato é primeiro com o espaço e depois com o tempo. A categoria espaço e a categoria tempo são os instrumentos básicos do meu contato comigo e com o mundo. Primeiro eu me percebo como espacial e, somente depois, como temporal. Somente *a posteriori* me percebo, concomitantemente, espacial/temporal como uma realidade além de mim mesmo. Espaço e tempo são cronologicamente inseparáveis. Um sem o outro é uma ilusão.

O contato é, pois, uma função do espaço e do tempo, ou seja, é um processo. Nós, humanos, quando em contato, apenas fazemos bruxulear uma fagulha da energia que é força de transformação cósmica. Somos microcentrais energéticas *no e do* cosmos, e é desse universo energizado que emana toda nossa capacidade de fazer ou estar em contato na dimensão espaçotemporal, enquanto implica uma percepção da relação espaço-tempo que, por sua vez, me permite perceber o nível de contato que alguém está vivendo. Estando imerso no espaço-tempo, o contato se transforma no instrumento básico que permite o surgir do sentido e do significado das coisas, como uma experiência de espacialidade e temporalidade. Longe de ser algo apenas ligado ao toque ou a uma percepção geográfica do corpo, o contato é uma experiência de relação em que sujeito e objeto se confundem na e com a realidade vivenciada.

"O contato é definido como '*awareness* do campo ou resposta motora no campo' [...]. Isso inclui 'apetite e rejeição, aproximar e evitar, perceber, sentir, manipular, avaliar, comunicar, lutar etc.' [...]" (Robine, 2006, p. 29)

O conceito de contato está ligado intrinsecamente à noção de "campo e espaço de vida", tal como exposto por Lewin. Ele ocorre no campo, espaço de vida da pessoa, pois o campo só é campo enquanto experienciado pela pessoa – ou, melhor dizendo, a pessoa é o campo onde tudo acontece. Não existe um campo antes ou depois, o campo é a pessoa acontecendo em dado momento. O contato se dá no campo, no espaço de vida, e talvez possamos afirmar que o campo é, conceitualmente falando, mais amplo que o conceito de espaço de vida, no sentido de que o campo é, de certo modo, minha história que finaliza nesse espaço de vida, vivido nesse dado momento.

"O contato é a *experiência*, o funcionamento da fronteira entre o organismo e o ambiente. É *awareness* da novidade assimilável e comportamento com relação a esta; e rejeição da novidade inassimilável. [...] '*Todo contato é ajustamento criativo do organismo e ambiente*' [...]" (Robine, 2006, p. 52).

Meu espaço de vida, meu campo existencial/psicológico, é fruto e resultado de uma rede complexa de contatos que fiz nos vários momentos da minha vida, e talvez eu possa dizer que ele é fruto das mil experiências dos mil campos em que experimentei estar em relação comigo e com o outro, humano e não humano. De outro lado, deve ficar claro que o espaço de vida, o campo, não é estático, ele existe renovando-se a cada momento em que o diferente ocorre, em que a sensação de alteridade nos aponta o encontro com um contato novo.

O outro me faz face, me remete a mim mesmo, é a prova visível de minha invisibilidade quando na solidão do outro. Alteridade é o reconhecimento do outro. Viver, estar em contato só tem sentido se o outro faz parte de minha estrada. Alteridade é "teste", é saborear a possibilidade de *com-viver* com o outro. O objetivo do conhecer, do conhecimento, da ciência é o outro. A essência da relação humana é a alteridade.

> Todo ato contatante é um todo de *awareness*, resposta motora e sentimento – uma cooperação dos sistemas sensorial, muscular e vegetativo – e o contato se dá na superfície-fronteira no campo do organismo/ambiente. [...] A definição de um organismo é a definição de um campo organismo/ambiente; e a fronteira de contato é, por assim dizer, o órgão específico de *awareness* e da situação nova do campo [...]. (Perls, Hefferline e Goodman, 1997, p. 69-70)
> *Awareness* é experiência temporal que envolve sentir, excitamento e formação de *Gestalten* no campo. Dimensão pré-reflexiva, o sentir é *pathos* (paixão, passividade) de abertura, entrega ao campo e ao diferente que me afeta, convoca e anima, fazendo nascer um excitamento e um movimento corporal espontaneamente orientado ao futuro que se avizinha e que se liga ao passado, fundo habitual que sustenta a formação de *Gestalten*. (Alvim, 2014, p. 85)

Contato é fruto do aqui-agora de uma relação entre espacialidade e temporalidade, em que o sujeito se coloca entre o espaço e o tempo buscando se integrar na relação com o outro, no mundo. Ele é o resultado de duas ações em inter e intrarrelação de um movimento de procura de produção de uma totalidade e é também o instrumento pelo qual a energia do encontro se canaliza à procura de uma finalização. Não estamos falando de algo inconsciente que ocorre à revelia da consciência do sujeito, estamos falando de contato como gesto humano e humanizante em que o sujeito amplia sua própria consciência ou em que alguém ou o outro se completam, porque todo contato tende a produzir uma unidade de sentido numa relação figura-fundo, embora haja contatos demolidores, destrutivos que implicam a predominância do objeto sobre o sujeito, do mundo sobre a pessoa e, portanto, a perda da intencionalidade, que é o que dá sentido à relação de contato.

Se o contato é fruto de variáveis psicológicas e não psicológicas que ocorrem no campo, isto é, entre pessoa e meio, ele é regulado pelas leis que governam o campo. Nesse sentido, o contato se expressa como equilíbrio, como força, como energia, como vetor, como valência positiva e/ou negativa, e com cada um desses construtos ele cria uma relação específica. Um corpo, por exemplo, em equilíbrio estável ou instável cria uma relação específica de dimensões completamente diferentes com a realidade fora dele, dependendo do tipo de equilíbrio. Ou, por exemplo, o contato visto como um vetor será diferente, dependendo de seu ponto de aplicação, porque, então, sua força e direção serão proporcionais à distância do ponto de aplicação.

Estou dizendo que a palavra "contato" tem uma complexidade conceitual maior do que aquela com que estamos habituados a lidar, o que significa que, bem compreendida essa complexidade conceitual, a instrumentalização do contato passa a oferecer maiores possibilidades de operacionalidade.

Temos primado por afirmações conceituais, como: "Gestalt é a terapia do contato" e, frequentemente, paramos aí.

Todo conceito precisa ser operacionalizado, ser um instrumento de trabalho, mas ele só o será quando situado teoricamente no contexto maior de uma teoria. O conceito de contato se transforma num instrumento de trabalho quando conseguimos ver sua possível aplicação conceitual sendo usada metodologicamente, porque um conceito sozinho, deslocado de uma teoria, é como uma fotografia de um lugar lindo, mas que ninguém consegue identificar o que é ou a que serve.

Nesse contexto, a teoria holística pode ser um modelo excelente do qual pode nascer uma teoria do contato. Tudo no universo é contato, é o contato entre tudo no universo que o mantém vivo e evoluindo. Holismo, definido por Smuts como força sintética do universo, eu diria força constante, é a síntese cosmicamente inteligente de bilhões de modos como os seres fazem contato, estão em contato, evoluem através de ajustamentos criadores, que envolvem complexas formas de contato pelas quais a evolução se perpetua, acontece e a vida segue em frente.

Também entre os humanos o contato é a grande força de transformação e mudança. Sem contato simplesmente morremos.

Quando estamos face a face com o outro, o que lhe faz face não sou eu, mas a energia que emana de mim em forma de contato, energia pela qual minha presença se presentifica para ele, mas com uma condição: se não estou presente em mim mesmo, não estarei presente para o outro. Contato e encontro são funções da presença. O que transforma o outro, ou talvez o cure, é a presença em forma de contato. Quando o outro me sente presente em mim mesmo, ele se sente presente para mim e talvez para ele mesmo, e então tudo pode acontecer (Figura 3).

Figura 3 – Ciclo da saúde e interrupções de contato

Esse ciclo do contato contém dois movimentos: o ciclo da saúde e o ciclo do bloqueio/perturbações/interrupções de fronteira. Esses dois movimentos se encontram ora como opostos, ora como complementares, ora como aproximações em cada ponto do ciclo. Dada a natureza polar do ciclo, cada ponto é, ao mesmo tempo, um diagnóstico, enquanto indica o bloqueio ou onde o contato se interrompe, (por exemplo, em proflexão), e também um prognóstico, enquanto indica um movimento na direção da saúde – no caso, interação, que é outra ponta da proflexão. (Fontes: Perls, Hefferlne e Goodman; Zinker, Clarkson, Smith, Ribeiro.)

Quero também observar que tanto o sintoma/diagnóstico/proflexão, por exemplo, quanto a saúde/interação/processo/prognóstico são formas, tentativas de ajustamento humano. O ciclo é um instrumento de trabalho da psicoterapia gestáltica. Ele nos dá pistas com relação ao cliente, nos dá um mapa processual de onde cliente e psicoterapeuta partirão em busca de uma nova configuração que permita ao cliente olhar para si e se reconhecer como ele próprio. Todos os ciclos têm, no centro, o *self*, propriedade estrutural e estruturante existencial do sistema de contatos da pessoa humana. *Self* é uma força holística, integrada e integradora na e da pessoa humana. Ele é um subtodo, um subsistema, força sintética que promove, no ser humano, seu constante desenvolvimento e evolução através de sua estrutura, forma, funções e organização – e é por isso que nos é possível visualizar a pessoa como indivíduo único e singular. *Self* é uma matriz, um sistema, é a expressão da existência estrutural e estruturante sempre em processo evolutivo na formação do corpo-pessoa-no-mundo.

Esse ciclo está constituído da seguinte maneira e com as seguintes características:

1 Traz nove formas de bloqueio ou interrupção, já apresentadas, ao longo dos anos, por Perls, Zinker, os Polster, Crocker e outros, embora apenas cinco desses mecanismos (introjeção, projeção, confluência, deflexão e retroflexão) tenham sido consagrados pela literatura em Gestalt-terapia nos Estados Unidos.

2 Apresenta, para além dos autores citados, nove formas polares a esses mecanismos como fatores de cura, incluindo os processos do ciclo de contato de J. Zinker (1979, p. 84), ou seja, repouso/retraimento, sensação, consciência, mobilização, ação e contato; traz ainda "satisfação", de Clarkson (1989), e eu acrescento "fluidez e interação".

3 O ciclo é uma configuração, uma Gestalt, um paradigma, um modelo cujas etapas estão em contínuo movimento para se pensar a natureza mutante de um sintoma, um psicodiagnóstico temporal, processual e, ao mesmo tempo, um prognóstico, indicando possíveis caminhos no processo de mudança e de cura de uma pessoa.

4 Cura e mudança são concebidas como funções do contato, como algo relacional entre pessoa-mundo e o bloqueio-fator de cura.

5 O *self* é um sistema de contato e, em sua dinâmica temporal, ocupa o centro do ciclo, sendo concebido como um lugar de processo. Através do eu, o *self* se localiza no mundo e "designa os movimentos internos do campo, movimentos de integração e de diferenciação, de unificação e de individuação" (Robine, 2006, p. 12). É ainda o centro de convergência da personalidade, a propriedade por meio da qual os comportamentos se revelam.

> Descobrir-se-á que o paciente não tem um "tipo" de mecanismo, mas, na realidade, uma sequência de "tipos", e, de fato, todos os "tipos" em séries explicáveis.
> O problema é que ao empregarmos qualquer tipologia, em lugar de descobri-la na realidade, experienciamos o absurdo de que nenhum dos tipos se encaixa em nenhuma pessoa específica, ou, ao contrário, que a pessoa tem traços incompatíveis ou mesmo todos os traços. (Perls, Hefferline e Goodman, 1997, p. 250)

Estamos fazendo uma reflexão sobre a natureza do contato para operacionalizar melhor o que estamos expondo ao propor a teoria do ciclo do contato. Trata-se de uma teoria que tem na fenomenologia, na teoria do campo e no conceito de self, *na qualidade de sistema de contato, sua principal base epistemológica.*

Self, como define Alvim (2014b), é um sistema de contatos, funções que se ativam quando em presença do diferente para promover um movimento de reequilíbrio: o ajustamento criativo.

Estamos falando do *self*, enquanto entra na teoria do ciclo do contato, como um dos elementos mediante os quais se pode visualizar como o contato funciona quando experienciado no encontro humano. *Self* é uma dentre as muitas propriedades da personalidade. Ele é, ao mesmo tempo, dependendo do ângulo de onde se quer observá-lo, um processo estruturante do contato ou uma estrutura processual que se expressa pelo movimento que regula o pensar, o sentir, o fazer e o falar humanos.

Ao falar em *self*, portanto, não estamos falando dele em si, mas de como o contato se estrutura por intermédio das suas três funções: id, ego e personalidade. *Self* é uma função espacial e temporal do contato na sua busca, como vetor, de um ponto de aplicação, onde a vida acontece.

> Como aspectos do *self*, num ato simples e espontâneo, o id, o ego e a personalidade, que compõem as estruturas do *self*, são também as etapas principais do ajustamento criativo. (Perls, Hefferline e Goodman, 1987, p.184)
>
> O *self* tem como função contatar o presente transiente concreto. (*Ibidem*, p. 177)
>
> *Self* é um sistema complexo de contatos, necessário ao ajustamento criativo, imbricado no campo e [...] na fronteira do organismo. [...] O *self*, o sistema de contatos, integra sempre funções perceptivo-proprioceptivas, funções motor-musculares e necessidades orgânicas. É consciente e orienta, agride e manipula e sente emocionalmente a adequação entre ambiente e organismos. (*Ibidem*, p. 179)

Estamos expondo uma teoria do contato por meio de modelos geograficamente apresentados como círculos, que expressam ciclos de movimentos processuais em forma de contato explicitados por meio das funções do *self*.

Não estamos propondo uma teoria do self.

Muitos autores têm apresentado o ciclo do contato como um círculo, que, por sua vez, é uma figura tão precisa, quase metafísica, que podemos perceber um círculo de três milímetros de diâmetro, bem como com diâmetros maiores até pensar o universo como um círculo infinito dentro do qual tudo, absolutamente, acontece e dentro do qual todas as coisas, em contato, se recriam em constante evolução, processando-se contatualmente à procura de sua fase final para recomeçar um novo ciclo.

Nada, portanto, mais perfeito e adequado que o círculo para expressar um campo dentro do qual toda forma de contato é possível, independentemente do tamanho desse círculo. Pode-se até imaginar um círculo infinitamente grande, de tal modo que ele contenha absolutamente tudo, ficando fora dele apenas o vazio, ou seja, o não contato.

O universo oferece infindas formas circulares, verdadeiras mandalas energéticas, nas quais se pode ver a perfeição distribuída em infinitas partes, todas em contato de transformação.

O círculo é uma figura perfeita, suas partes se distribuem igualmente com relação ao ponto central.

Não é de estranhar, portanto, que alguns autores escolhessem o círculo como a figura geométrica que melhor expressa o contato como movimento, como força, como energia circulante e transformadora.

Embora em nossas edições anteriores tenhamos representado as bordas dos diversos círculos com linha contínua, tentando expressar, assim, um megassistema de contatos dentro do qual pequenos círculos pontilhados criavam sistemas de contato diversos, optamos por pontilhar todos os círculos do ciclo, com a intenção de significar com isso macrossistemas de contato dentro de um universo maior que chamamos "ambiente", significando toda possibilidade de múltiplos e variados contatos.

Nos nossos modelos, o círculo contém graficamente o *self*, não se tratando, portanto, de aprisioná-lo, dado que é um sistema de contatos em movimento, em mudança, uma entidade por meio da qual o contato se expressa. O círculo expressa um sistema de contato, tendo tudo que ver com energia e com movimento, propriedades pelas quais podemos visualizar os processos em contato.

O círculo, a seu modo, expressa um processo de espacialidade e temporalidade, por intermédio das etapas de pré-contato, contato, contato final e pós-contato, processos por meio das quais o contato se expressa. Espaço e tempo modificam as relações de contato em qualquer ordem, dado que toda e qualquer experiência é resultado do espaço e do tempo vividos, acontecendo aqui e agora.

Não é sem razão, portanto, que Lewin apresenta o espaço de vida ou espaço vital (EV) em forma de círculo, sendo o EV fruto das variáveis psicológicas e não psicológicas, ou seja, de variadas formas de contato, emanadas da pessoa e do ambiente, em dado campo (espaço) e em dado momento (tempo).

Estamos falando do contato como ciclos operacionais de unidade de sentido e de ação, e chamamos esse processo de teoria do ciclo do Contato, que apresentamos graficamente em oito modelos que expressam algumas (e não todas) das possibilidades de leitura de como o contato funciona.

Cabe aqui uma reflexão sobre a tão usada expressão: formação e destruição (ou, melhor, "dissolução", termo usado por Mônica Alvim) de figuras, uma vez que elas surgem de necessidades de contato que, por sua vez, são cíclicas.

> A necessidade prioritária é denominada *dominante ou figura*; as demais recuam para o *fundo* até que se tornem emergentes e possam ser atendidas. Este processo é denominado de *formação de gestalt*, que serve à autorregulação organísmica (além do contato e da *awareness*), a fim de que a dominância seja atendida. O processo de *formação de gestalt* se dá a partir da emergência de uma necessidade que energiza e organiza o comportamento nos níveis perceptual e motor que através do contato (ou da retração) busca de forma ordenada e integrada a satisfação da necessidade dominante. (Cardella, 2007, p. 188)

Funcionamos em ciclos. Somos mudança, estamos permanentemente em estado de travessia, o movimento é parte essencial da existência humana. O universo funciona em ciclos, em eras, em camadas, nas quais uma repete a outra, no sentido de que a anterior está totalmente contida na posterior que, por um complexo processo evolutivo, deu um passo à frente, conservando muito e, às vezes, tudo da fase anterior e ultrapassando-a, pois, no universo, nada se perde, nada se destrói, tudo se transforma. Ou seja, um novo ciclo conserva muito do anterior, transformando-o e acrescentando novas propriedades evolutivas através, como diz Smuts, de séries evolutivas.

Parece, portanto, inadequado falar em "formação e destruição de figura". Toda figura nasce de uma necessidade entre dois seres em contato, a qual, após completar seu ciclo, ou seja, satisfazer seu objetivo, se retira à espera da emergência de uma nova necessidade. Mas isto não significa que os ganhos anteriores do ciclo foram destruídos. Ao contrário, só é possível a emergência de uma nova necessidade por causa dos ganhos que o organismo obteve nos ciclos anteriores, tal como no processo evolutivo cósmico.

A formação, portanto, de uma nova figura não implica a destruição da anterior, mas supõe a anterior como base para um passo à frente. A expressão correta, portanto, parece ser, em vez de "formação e destruição de figura", "formação e transformação de figura". Alvim diz "dissolução" de figura. Prefiro "transformação". *Trans-forma-ação*. Estamos diante do conceito de figura-fundo, ontologicamente uma unidade, isto é, um não pode ser pensado sem o outro. Parece, portanto, não caber a palavra *destruição*, pois destruída uma implicaria a destruição da outra, o *fundo. Se usarmos transformação, a estrutura do conceito continua a mesma, mudam seus componentes, muda a forma e, consequentemente, a função da relação no contato*. Se foi transformada, a figura anterior não foi destruída, e a que dela emerge é uma figura nova, mesmo tendo por base a anterior. Essa compreensão encontra apoio tanto na psicologia da Gestalt – com o conceito relacional de parte-todo, figura-fundo – quanto na teoria do campo – com o conceito de espaço de vida – e na teoria holística – com o conceito de evolução por séries. Porque, no universo, nada se perde, tudo se transforma.

O processo do contato, bem como o processo evolucionário, é marcado pela espacialidade e pela temporalidade: espaço e tempo, quantidade e qualidade se imbricam um no outro, criando um *philum* espaçotemporal que preside a permanência e a presença de caracteres em transformação, permitindo ainda que configurações novas surjam, potencializando as características anteriores. E as consequências para a clínica são imediatas, pois a transformação de necessidades leva a pessoa a uma sensação interna de continuidade e, portanto, de percepção de si mesma.

Cada ciclo, em que uma necessidade é satisfeita, perfaz o contato e o organismo "transformado" pelo contato que se completou se prepara para um novo ciclo. Daí o nome ciclo do contato ou ciclo das necessidades satisfeitas, uma vez que é por meio do contato que as necessidades se satisfazem.

A ideia do ciclo do contato é perfeitamente coerente com o modo como a natureza procede através de ciclos: lunares, menstruais, solares, das estações, das marés altas e baixas, das camadas geográficas etc., e, em nosso caso, ciclos de sistemas de contato que emanam das funções do *self*, através das funções perceptivo-proprioceptivas, motor-musculares e de necessidade orgânicas à procura de satisfação de necessidades por meio de contato, nos mais variados níveis.

O construto *self*, "processo e estrutura" (Robine, 2006, p. 61) está presente em todos os modelos de ciclos, na teoria do ciclo do contato, como uma estrutura processual ou como um processo estrutural, por meio do qual as três funções – id, ego e personalidade, estruturas parciais do *self* – se expressam, como etapas principais de ajustamento criativo e como processo de desenvolvimento humano.

Vamos apresentar didaticamente alguns modelos de formas de contato que compõem nossa teoria sobre contato, composta de campos e círculos que envolvem ciclos. Em todos eles aparece, no centro, o *self*, cuja função é facilitar o ajustamento criativo se tornando um sistema de contatos, um agente de crescimento, um centro operacional de controle da energia em forma de contato, de tal modo que o *self* é o retrato de como a pessoa funciona em dado campo. Não é, porém, conhecendo o *self* que se conhece a pessoa, mas é conhecendo a pessoa que se pode conhecer seu *self*, pois, em nossa opinião, ele é um atributo-função da personalidade. Não se pode conhecer o *self*, pode-se conhecer a pessoa, pois, embora o *self* seja uma subestrutura da personalidade, só se pode conhecê-lo através da pessoa e não o inverso. O *self* não existe *ex se*, ele é *ab alio*, ou seja, *não existe como entidade independente.*

O *self* é como o negativo de uma fotografia. Ele existe, mas precisa ser revelado, se se quer vê-lo mais claramente, e o preparado químico que o torna visível é o contato. Assim, sem as cinco, sete ou nove formas de contato ou de interrupções de contato que aparecem no ciclo, não se poderia "visualizá-lo". Os mecanismos de mudança ou de cura e seus bloqueios são elos que dão visibilidade existencial ao *self*.

Os fatores de cura e/ou os bloqueios/interrupções de contato são, portanto, algumas das muitas possíveis formas de contato que dão visibilidade funcional ao *self*. Sem essas formas de funcionar, o *self* se transforma numa abstração, num construto vazio, num processo descaracterizado. E o *self* não é um mero processo, ele é uma estrutura ou subestrutura numa estrutura maior, a pessoa. Não se pode pensar um processo com vida própria, um processo em estado puro, o que equivaleria a acabar com a distinção entre essência e existência. Todo processo é *ab alio* (depende de outra coisa que não ele).

Este texto, portanto, expõe uma teoria do contato que tem no círculo, no ciclo e no *self* os instrumentos fenomenológicos de descrição da realidade e tem na psicologia da Gestalt, na teoria do campo e na teoria holística as bases que lhe dão sustentação epistemológica.

A título de exemplo, podemos afirmar que qualquer dos modelos de ciclo apresentados pode ser visto como o espaço vital, de vida, da teoria do campo, como expressão das variáveis psicológicas e não psicológicas, fruto da inter-relação pessoa-mundo, podendo aplicar aos ciclos as mesmas atribuições que aplicamos ao conceito de campo de Lewin.

Dentre os conceitos da psicologia da Gestalt, podemos tomar, por exemplo, os conceitos de parte-todo ou figura-fundo, bastando olhar graficamente os modelos de ciclo para perceber imediatamente que cada um é a expressão visual da relação parte-todo e figura-fundo de uma configuração maior. O modo como os ciclos são pensados e concebidos, na qualidade de etapas da relação organismo-ambiente, caminha na direção de um espaço e de um tempo que governam a dinâmica interna do ciclo. Estamos, na realidade, explicitando os conceitos de parte-todo e figura-fundo que, subentendidos nos fatores de cura e de bloqueio de contato, revelam a dimensão espacial e temporal que a dinâmica dos ciclos contém.

Usando a teoria holística de Smuts, vamos encontrar no conceito de "holos", que podemos, de certo modo, traduzir por totalidade, a verdadeira essência funcional dos ciclos. O ciclo do contato é exatamente isto: a expressão da "holos", essa força sintética do e no universo que tudo controla e é fator permanente de criação evolutiva. O ciclo do contato, quando se completa, expressa-se por meio dessa síntese maravilhosa da relação organismo-ambiente, pessoa-mundo. O ciclo evolutivo humano se completou aqui-agora através da ação criativa do contato e se repete, a cada instante, sempre que alguém faz de uma necessidade sua motivação existencial.

3.
Campos e ciclo do contato

Embora não haja nenhuma função do organismo que não seja essencialmente um processo de interação organismo/ambiente a qualquer momento, a grande maioria das funções animais está tendendo a completar-se dentro da pele, protegida e inconsciente: não é função do contato. Os contatos estão na fronteira (mas de forma natural a fronteira muda e pode até, nas dores, estar bem "dentro" do animal), e eles essencialmente entram em contato com o novo. Os ajustamentos orgânicos são conservativos; foram embutidos no organismo durante uma longa história filogenética.
(Perls, Hefferline e Goodman, 1997, p. 205)

"Contato" é uma palavra *mágica, demarca minha relação com o diferente, é um apelo no sentido de existir como uma provocação ao ajustamento criativo, é sinônimo de encontro pleno, de mudança, de vida. É convite ao encontro, ao entregar-se. É um processo cujo sinônimo é cuidado, a alma do contato. Sem ele, o contato, simplesmente, não existe.*

Tem-se escrito muito sobre a palavra "contato" e pouco sobre o conceito de contato como processo, como base fenomenológica da compreensão do que significam comportamento e mudança.

Embora sejamos o contato vivo, não é fácil escrever com profundidade sobre "contato", talvez até porque estejamos metafisicamente confluentes entre nosso ser e nosso existir: somos a nossa existência. Nossa visão entre o que somos (essência) e aquilo em que nos tornamos (existência) é ofuscada pela imersão da existência na essência. Essa é a mais metafísica das confluências onde figura e fundo perdem identidade e só podem ser concebidos como processo.

Contato é função do campo e obedece às leis que regem o campo.

A vivência do contato depende da experiência do campo, cuja qualidade altera a experiência imediata vivida pelo sujeito em certo momento.

Contato é uma teoria. Contato, como toda teoria, supõe princípios dos quais emana e nos quais se fundamenta, com procedimentos precisos, definidos e reaplicáveis em circunstâncias congêneres. É algo objetivamente observável e, como tal, pode ser descrito com precisão numa relação de causa e efeito. Como algo relacional, ocorre, ao mesmo tempo, em variados campos, sobretudo no psicoemocional e no socioambiental. Sua natureza relacional o torna mais compreensível a partir de sua inserção na teoria do campo.

Contato é uma técnica. Meu corpo sou eu, eu sou meu corpo. Meu corpo é a casa onde habito, casa do contato, dando os limites do contato, subjetiva e objetivamente. Sem conhecer o corpo, pouco se pode fazer para que um contato seja nutritivo e transformador. O corpo é objeto e sujeito imediato do contato. De maneira simples, eu diria que as leis que regem o corpo são as leis que proporcionam um contato de maior ou menor qualidade. Como técnica, o contato supõe procedimentos que o delimitam ou não a dado campo, no qual os conceitos de fronteira e limite se tornam pistas que regulam a qualidade da relação. Usar o contato como instrumento, como técnica de aproximação e compreensão da realidade, é um caminho entre a experiência imediata e a realidade interna do outro.

Contato é uma arte. Ternura, suavidade, carinho, disciplina e clareza são, muitas vezes, verdadeiros alimentos do contato. O corpo é o santuário onde habitamos, uma oração visível saudando universo. Obra de arte, a mais fina, imagem e semelhança de Deus, o corpo é uma projeção à arte interior de cada um de nós. Sou o meu corpo, meu corpo sou eu. O corpo é a pessoa, é o retrato de mim mesmo, da minha história, por isso só pode ser falado por mim. Se o outro me toca ou eu toco o outro, devo fazê-lo com a reverência própria de quem entra num santuário à procura do sagrado.

A arte corrige, às vezes, a natureza. O contato, como arte, é o instrumento de ação que permite à pessoa humana superar seus limites e atingir um nível mais alto de perfeição.

A palavra "contato" é usada de vários modos e em circunstâncias bem diferentes, como: "fazer contato", "permanecer em contato", "cortar o contato", "entrar em contato" ou apenas "o contato", como se fosse um conceito claro e de significação idêntica para todo mundo.

Para o Gestalt-terapeuta, o conceito de contato tem um significado muito especial, porque:

1 A Gestalt-terapia está centrada no conceito de contato e na natureza das relações de contato da pessoa consigo mesma e com o mundo exterior.

2 Contato é a matéria-prima da relação psicoterapêutica. Sua natureza define a qualidade do processo.

3 Contato é a forma pela qual a vida acontece e se expressa, isto é, "o contato é *awareness* do campo ou resposta motora no campo".

4 Contato é o fenômeno pelo qual o encontro ocorre e no qual toda ação humana e psicoterapêutica se baseia.

5 Contato e *self* mantêm uma relação de quase identidade epistemológica. Não se pode falar em um sem falar do outro quando se trata do comportamento humano. Embora *self* e contato estejam em íntima relação, contato é um conceito mais amplo que *self*, pois tudo que existe é contato, e é o contato que torna as coisas existentes, seja no nível metafísico, seja no cosmológico, mas o contrário não é verdadeiro, porque nem tudo que existe é ou tem um *self*.

O modo como uma pessoa faz contato consigo e com o mundo expressa igualmente o grau de individuação, maturidade e autoentrega que vive em dado momento, porque o contato é a expressão experienciada e visível da realidade interna de si mesmo. Tudo na natureza é contato e sem ele tudo perde sentido, agoniza e morre.

Contato é um conceito extremamente rico e complexo, por isso é importante examiná-lo, ver seus diversos ângulos e tirar daí as implicações possíveis que nos ajudarão nessa caminhada que estamos fazendo.

Nosso universo é o universo da totalidade. Ele inclui tudo, porque tudo está em relação, afetando a natureza das coisas.

A natureza, dita viva ou morta, é contato e, nesse sentido, existência e contato se confundem. Compete-nos encontrar

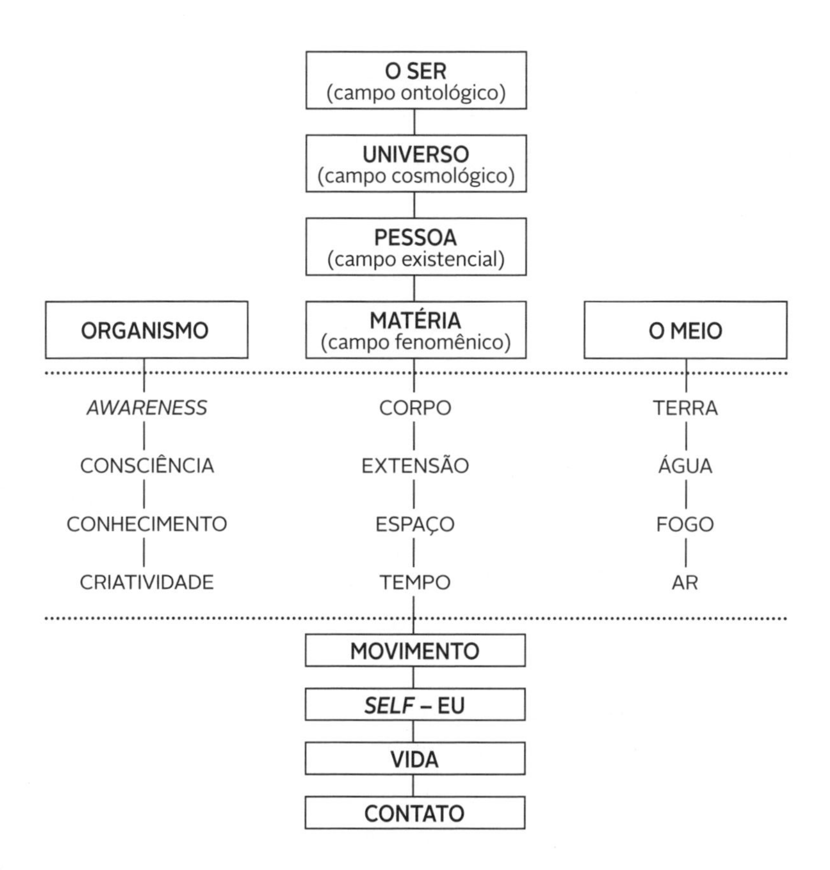

Figura 4 – Espaço vital gestáltico

Tudo converge no universo. A suprema fonte do contato é o SER, do qual tudo emana e para o qual tudo converge. Existimos, por inteiro, nesse campo total, sempre, e, ao mesmo tempo, estamos em subcampos dessa imensa estrutura, como subsistemas do qual nossa individualidade emerge, tornando-nos únicos nesse universo de possibilidades. Cada ponto desse sistema estrutural nos diz respeito. Para entendermos o presente esquema e, portanto, a natureza do contato, temos de conhecer sua estrutura e organização. Contato, na qualidade de estrutura, supõe que conheçamos as propriedades de cada um de seus elementos, isto é, os diversos construtos do esquema isoladamente, e também as relações que entre eles tornam esse esquema-estrutura uma unidade. E contato, como organização, supõe que conheçamos as relações que se estabelecem entre seus diversos componentes, isto é, os diversos construtos do esquema. Essa macroestrutura é nossa essência universal que se esconde nos seres e da qual somos um microcosmo visível, e cada ponto dessa estrutura é a existência em nós, acontecendo aqui-agora.

essas relações. Só o nada é nada de relações, por isso é ausência de contato. Numa chuva, água e asfalto se tocam, não se encontram; a água desliza indiferente sobre o asfalto, mas esse toque só se transforma em encontro e, consequentemente, em contato quando um começa, não importa em que nível, a alterar a natureza do outro. Quando um encontro vira contato, fazemos as coisas começarem a existir.

Tudo é contato em ação – e, em certo sentido, também a morte, a qual envolve uma das mais complexas formas de contato, a relação entre variáveis "trabalhando" para, em certo sentido, produzir um efeito, um resultado que é parar nossos sistemas vitais, que é tudo para o qual nosso corpo não foi feito. A morte, paradoxo do absurdo, contradição suprema, complexidade existencial inatingível à mente humana.

> Mas então a complexidade apresenta-se com os traços inquietantes da confusão, do inextricável, da desordem, da ambiguidade, da incerteza. [...] Ora, a própria ideia de complexidade comporta nela a impossibilidade de unificar, a impossibilidade de acabamento, uma parte de incerteza, uma parte de irresolubilidade e o reconhecimento do frente a frente final com o indizível. (Morin, 1990, p. 20-139)

Tenho a impressão que dei um salto gigantesco, não sei exatamente para onde, e/mas estou sentindo que o pensamento de Morin me remeteu exatamente ao insondável mistério do que é a natureza última do contato – na vida e na morte –, porque fica claro para mim que vida não é o contrário de morte. Afinal, o mesmo pensamento com o qual fiz referência à morte posso fazê-lo com relação à vida.

FENOMENOLOGIA DO CONTATO

Como dissemos anteriormente, o universo do contato é o universo da totalidade. Na razão em que ocorre a totalidade, ocorre o contato pleno. Essa totalidade não é apenas a totalidade das ideias, mas das ideias e dos fatos.

A psicoterapia, como função do contato, só ocorre quando a totalidade se faz e, como a totalidade sempre precede à consciência, totalidade, consciência e contato se transformam no tripé da mudança. Quando falta um desses elementos na relação terapêutica, rompe-se o processo de mudança e ocorre a fragmentação, tornando o contato inoperante.

É pelo contato que figura-fundo seguem seu caminho de formação e transformação ou dissolução de novas *Gestalten*, em um eterno renovar-se. É nesse movimento que nós mesmos nos fazemos presentes e nos reconhecemos, porque somos os contatos que fazemos ao longo da vida.

O contato é um movimento transformador de junção, de síntese, que permite à realidade se fazer e se refazer sobre si mesma no campo, em um processo nunca acabado, porque o contato, como unidade de transformação, tende a ampliar-se ao infinito pelas possibilidades que tem de adquirir novas propriedades a cada instante.

Voltando ao assunto vida-morte (que merece uma reflexão mais aprofundada), a definição que dei de contato me permite definir tanto a vida quanto a morte como sistemas, "associação combinatória de elementos diferentes" (Morin, 1990, p. 28).

A compreensão do conceito de contato passa por um duplo processo: dedutivo, em que parto do universal e chego ao singular, e indutivo, em que parto do singular, da unidade, e chego ao universal. Ambos os processos, do ponto de vista fenomenológico, apresentam diferenças complexas, porque, embora em ambos se trate de um dado ao qual se pretende chegar, o dado do qual se parte contém em si diferentes informações.

Do ponto de vista fenomenológico, essa distinção nos permite ver o contato ora como causa, ora como efeito de um processo em que tudo está incluído, sem perder a unicidade e a individualidade própria de cada ser. Somos sempre totalidade, mesmo na qualidade de indivíduos. Minha individualidade absoluta, enquanto ente, ao me fazer único no universo, me faz uma totalidade. Por isso, posso ser descrito, reconhecido e ter um nome. Dar um nome é ter captado a totalidade.

Metafisicamente, estamos falando de um universo holisticamente pensado como essência e cronologicamente pensado como processo, como existência.

O contato é sempre um encontro com o ser do ponto de vista ontológico e com o ente do ponto de vista fenomênico. Sem contato, nada se cria. O criado é ato supremo de contato. Quando se está em contato, o universo abre suas portas às muitas possibilidades de criação.

Nesse contexto, vemos o ser se constituindo em diferentes níveis de contato, baseado nas relações que cria com as três dimensões inclusivas da realidade, cada uma exercendo, do ponto de vista da apreensão, uma função especial, de acordo com os níveis em que atuam.

Podemos atingir três níveis no conceito de ser:

1 Nível de ser: totalidade, universalidade absoluta. Aqui falamos do ser ao qual nada falta, onde tudo está incluí-

do, origem e princípio de todos os seres, enquanto recebem dele sua significação primeira: a de existente.

2 Nível de Ser: totalidade relativa enquanto representado por classes: por exemplo, o cavalo. Ao dizermos o cavalo, incluímos aí todos os cavalos de ontem, de hoje e de amanhã, não importa a raça, porque, ao vermos um cavalo, podemos deduzir com base em sua visão a essência do que se trata, porque o cavalo deixou de ser uma abstração para ser, de fato, real, um cavalo.

3 Nível de ser: enquanto representa o indivíduo na sua singularidade, na sua unicidade. Nesse nível, não dizemos um cavalo, mas este cavalo, é a totalidade individualizante, singularizada.

É importante observar que estamos na mesma frequência, que esses níveis dialogam, conversam um com o outro, porque, neste trabalho, precisamos pensar o contato como algo mais amplo que o toque – não como um conceito formal abstrato, mas como algo que se move, que move, que tem a potência de gerar mudanças.

A realidade se apresenta em três níveis: "SER", que é a realidade total, universal, absoluta; "Ser", que é determinada categoria ou classe de indivíduos, por exemplo, o humano, o vegetal; "ser", que é a expressão da singularidade de um único indivíduo, por exemplo, este homem, esta pedra. O indivíduo singular (ser) está presente de diferentes modos e ao mesmo tempo, na categoria SER absoluto e Ser classe, pois o SER ontológico, enquanto conceito e expressão de todo o existente, contém em si a síntese holística estrutural de toda a realidade (Figura 5).

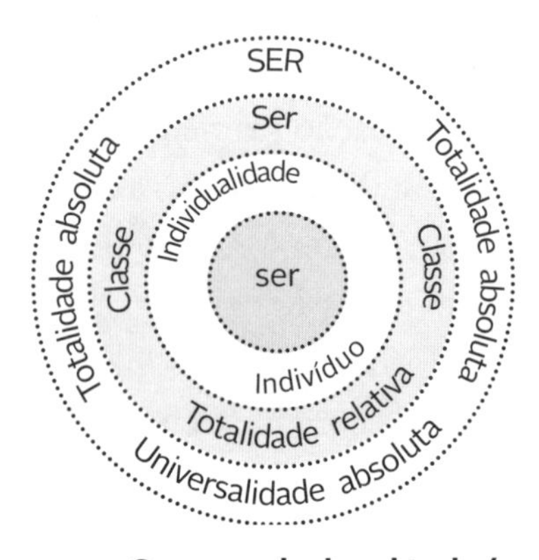

Figura 5 – Campo relacional todo/parte

O Ser é visto na sua tríplice dimensão:
SER metafísico, Ser classe e ser indivíduo

O "Ser" contém o cavalo e o cavalo contém o Ser. O cavalo é parte do Ser, o Ser é parte do cavalo. O todo está na parte, que está no todo. A fenomenologia se transforma numa ontologia, lançando luz sobre todos os *processos dedutivos* com os quais trabalhamos cotidianamente, e se transforma numa metodologia, enquanto, *por indução*, todas as coisas atingem sua essência. É nesse vaivém que todas as coisas se inter-relacionam, que tudo afeta tudo, que tudo é uma coisa só, desnudando-se ao infinito diante de nossos olhos para que lhes possamos dar nomes e captar-lhes as propriedades singulares.

Nesse delicado processo de nos tornarmos classe, de nos tornarmos indivíduos, "um homem", para, em seguida, nos tornarmos quem somos, singulares, "este homem", vivemos a todo instante esse tríplice aspecto de uma única realidade: o SER como fonte primeira de contato.

Essa reflexão tem uma finalidade diretamente terapêutica: ampliar nossa consciência para a compreensão da dimensão de um *self* herdeiro de uma totalidade que, de um lado, nos agiganta e, de outro, nos torna, fenomenologicamente, complexos ao infinito, porque cria uma anterioridade ontológica e cronológica que nos precede, nos movimenta, preside nosso desenvolvimento e nos caracteriza como tais.

Não somos fruto de um individualismo ou de um determinismo biológico ou existencial, pois, como partes do SER, somos coletivos, seres de infinitas possibilidades; e é assim que nos desenvolvemos, e é assim que estamos em contato com todas as nossas possibilidades, mesmo as não pensadas.

O CICLO COMO PARADIGMA

O ciclo responde, portanto, epistemologicamente, a uma exigência científica que o transforma num modelo de descrição diagnóstica e prognóstica. Ele é um instrumento fenomenológico de descrição da realidade, enquanto descreve e situa um jeito de ser em dado campo. Ele é expressão temporal e espacial do ajustamento criativo, a expressão temporal do movimento humano à procura de uma configuração mais perfeita e expressão espacial, enquanto localiza existencialmente a pessoa em um dado lugar de onde as coisas façam sentido para ela.

O ciclo funciona como um paradigma em psicoterapia. É um modelo por meio do qual alguém pode qualificar as próprias ações, se orientar e perceber o movimento do outro. Assim, com base em como a pessoa se descreve, em como sua dinâmica funciona, podemos localizá-la no ciclo dos fatores de cura, bem como onde ela interrompe seu contato. O ciclo permite uma leitura, seja do funcionamento harmonioso do comportamento de alguém, no qual as ações previstas tenham começo, meio e fim, seja de um comportamento no qual o contato vai se rompendo na razão em que o processo neurótico avança. Assinala, portanto, onde alguém se encontra, naquele tempo e naquele espaço, e nos dá caminhos para chegar a determinado objetivo desejado. Tal é a concepção do ciclo visto como etapas do funcionamento humano saudável e não saudável.

O processo psicoterapêutico como um todo, seja em uma sessão, seja em um *workshop*, deveria *idealmente* começar em "fluidez/fixação", fazer todo o ciclo e terminar em "retirada/confluência". Se o cliente deixou a sessão tranquilo, o grupo terminou bem, o momento psicoterapêutico terminou com sucesso, dizemos que o ciclo se completou. Quando, ao contrário, o cliente sai mal da sessão, o grupo termina de modo inadequado ou a pessoa interrompe a psicoterapia de maneira frustrante, certamente o ciclo não foi vivenciado como um processo funcional de ajustamento criativo. Isso não significa que não exista resultado positivo ou que tenha sido um desastre, mesmo porque o ciclo é temporalizado: as pessoas, de algum modo, "continuam" em terapia após o término da sessão. É frequente o cliente sair mal da sessão e, ao retornar, dizer como, lentamente, foi percebendo a nova realidade, e como se sente bem agora. A sessão termina como termina, não tem de ter um final feliz para conforto do cliente ou do psicoterapeuta.

O ciclo deve, idealmente, ser vivido em todos os passos, porque sabemos que é comum, no processo psicoterapêutico, o ir e vir, o cliente caminhar, do ponto de vista didático/metodológico, até, por exemplo, "contato final" e retornar à "ação", até mesmo no processo de experimentar a nova realidade que está descobrindo.

Psicoterapeuta e cliente deveriam, idealmente, percorrer esse ciclo toda vez que se encontram, porque a busca do contato pleno é uma das metas de qualquer forma de psicoterapia.

Com base nesse fato, após as primeiras sessões, não nos será difícil fazer um diagnóstico processual, localizando a pessoa em uma das etapas do ciclo, por exemplo, em deflexão. Dizendo isso, estamos afirmando também que a pessoa faz um ajustamento disfuncional com a polaridade "*awareness*/ deflexão", com seu processo de autopercepção, de *self-awareness*, enfim. Estamos, portanto, diante de um provável sintoma, "deflexão", e de um provável remédio, lidar com o processo de *awareness* de maneira mais clara e consistente.

O psicoterapeuta, sem abandonar o modo como o cliente experiencia os outros passos do ciclo, poderá centrar a atenção no seu processo de deflexão-autoconsciência, facilitando, prioritariamente e com mais determinação, os momentos em que ele possa entrar em contato com todo seu processo decisório, com base em uma maior consciência.

O ciclo se transforma, assim, num plano de trabalho, num projeto psicoterapêutico. De um lado, cliente e psicoterapeuta se movem nele fluidamente, dependendo do que está acontecendo; de outro, ambos estão atentos àquele ponto no qual o cliente mais habitualmente interrompe sua energia de vida e de finalização, para ali depositar mais atenção.

O processo psicoterapêutico consiste na percepção de como a pessoa vai saindo, lenta, cuidadosa e progressivamente, do ponto onde mais habitualmente ela se interrompe no ciclo, a exemplo do que ela faz na vida, e passando por todos os outros pontos até chegar à "retirada". Nesse momento, que pode ser apenas um instante, uma sessão, ou a vida como um todo, a pessoa poderá, tendo fechado uma Gestalt, recomeçar uma nova caminhada, um novo processo de vida.

O ciclo do contato funciona, portanto, como modelo de psicodiagnóstico e como um programa de trabalho, fazendo do psicodiagnóstico processual seu instrumento de trabalho.

Após uma ou algumas sessões, identificamos, com base no comportamento da pessoa, onde ela se localiza no ciclo. E, ao mesmo tempo, identificamos o processo saudável, baseado no qual ela poderá ser ajudada. Se o cliente é identificado como "introjetor", sabemos que "mobilização" é o processo pelo qual poderá caminhar na direção dos outros passos do ciclo até "repouso/retirada".

Para chegar a essa conclusão, é importante que o psicoterapeuta esteja atento não apenas ao sintoma/queixa da pessoa, mas às suas queixas periféricas e à sua vida como um todo, dos quais nascerão o enfoque psicoterápico e possíveis caminhos a ser percorridos.

Do ponto de vista técnico, uma vez diagnosticado onde a pessoa se encontra – por exemplo, em introjeção –, o psicoterapeuta terá, pelo menos, dois caminhos:

1. partir de "mobilização", na direção dos ponteiros do relógio, até a "retirada", porque o profissional percebe no cliente um movimento de entrega, de espontaneidade, de força para continuar a estrada na qual ele já se encontra;
2. partir da "mobilização", na direção inversa, até a "retirada", porque esse caminho ele já conhece e, de algum modo, já o percorreu e não dá conta de ir além dele mesmo nesse momento do trabalho.

A escolha de um ou outro caminho que não esses dependerá da percepção do psicoterapeuta no que diz respeito à capacidade do cliente de entrar em contato com sua relação e percepção organismo/ambiente. O cliente mais fluido, com mais mobilidade, quando identificado como "introjetor, poderá ter mais ganhos em continuar o seu processo na direção dos ponteiros do relógio até a "retirada". Se, ao contrário, lida mal com o contato, é depressivo, está muito preso ao passado, poderá ter mais ganhos lidando com os passos que antecedem a "mobilização". Ele provavelmente precisa refazer, com mais clareza e consciência, o caminho de "retirada" até a "mobilização", para só então continuar avançando na direção do contato final. É muito difícil alguém subir uma montanha quando está muito cansado ou tentar novamente quando já tentou uma vez e não conseguiu.

Nas duas hipóteses, o psicoterapeuta precisa concentrar a atenção em cada etapa do ciclo. Este funciona como uma máquina em cima de dois trilhos, procurando o seu destino. As rodas têm de pousar sobre ambos, sob pena de descarrilar. Assim, o psicoterapeuta tem de estar atento, em cada ponto do ciclo, a ambos os processos, o positivo e o negativo, porque ambos formam e presidem o processo de mudança. Como alguém que olha o mapa de uma estrada em um cruzamento duvidoso, também ele deve olhar para ambos os lados, para não correr o risco de se perder. Didaticamente falando, só deveria passar a um próximo ponto do ciclo depois de verificar como o cliente e ele próprio se encontram naquele lugar.

Como vimos, no ciclo de fatores de cura, cada etapa posterior, na ordem em que elas se encontram, inclui a anterior

– como no movimento dos ponteiros do relógio, em que oito horas inclui a anterior sete, e assim por diante.

CAMPO DO CICLO DA MUDANÇA

Contato pleno é aquele em que as funções sensório/afetivas, cognitivas e motoras se juntam, num movimento dinâmico dentro-fora-dentro, para, através de uma consciência emocionada, produzir no sujeito um bem-estar, uma escolha, uma opção real por si mesmo, numa relação organismo-ambiente.

Consciência emocionada, uma forma de contato é o processo através do qual a pessoa, ao se dar conta de sua relação organismo/ambiente ou do modo como ela se relaciona no mundo, chama seu corpo em causa pela percepção de algo novo que está experienciando e de que seu corpo se apropria como seu. Supõe uma junção, uma síntese do somático e do psíquico, uma vivência da relação pessoa-ambiente como realidades ontologicamente conectadas, permitindo à relação espaço-tempo fluir na direção de algo novo, inusitado, de um ajustamento criador.

O ciclo da mudança é mais um instrumento por meio do qual podemos visualizar melhor o processo de mudança de uma pessoa e, de algum modo, segui-lo, no sentido de que o ciclo nos oferece uma compreensão visualmente melhor dos campos em que nos movemos.

A psicoterapia não visa, necessariamente, a cura, mas sim a mudança, a qual pode levar à cura. O psicoterapeuta não é aquele que cura, e sim aquele que cuida – e, quando as pessoas se sentem cuidadas, abrem o caminho para sua própria mudança. Mudar é ressignificar coisas, pessoas e, sobretudo, a própria existência. Não é um ato de vontade isolado, é um ato integrado, que envolve a pessoa na sua relação com o mundo como uma totalidade consciente.

Esse processo de mudança ocorre em três níveis: sensório, motor e cognitivo. A interdependência deles gera sensações, sentimentos, afetos e emoções que são determinantes poderosos no surgimento e na compreensão do comportamento humano.

Todo processo envolvendo uma mudança real passa, necessariamente, por esses três aspectos: sensório, cognitivo, motor. O contato pleno só ocorre quando a pessoa vivencia harmoniosamente esses três momentos no seu processo, e só então a mudança acontece.

É comum as pessoas, em terapia, dizerem "Eu já sei disso, por que não consigo mudar?" Lembremo-nos, primeiramente, que mudanças estão no mundo das necessidades, e que estas, por sua vez, nascem de nossas motivações. Uma das questões é: eu quero, de fato, mudar ou eu penso que quero mudar? A vivência de emoções novas, diferentes, facilita o processo de mudança e até de cura. Uma segunda resposta mais pronta, simples e talvez imediatista poderia ser: "Pensar menos e sentir mais, e, em vez de pensar o sentimento, tentar sentir o pensamento". O psicoterapeuta, quando identifica a lógica de funcionamento desses três sistemas, deve lidar fluida e criativamente com eles, porque, sendo eles funções naturais do organismo, corre-se o risco de não perceber um ajustamento não funcional, o que criaria verdadeiros obstáculos ao processo de desenvolvimento integrado da pessoa humana.

As teorias e práticas psicoterápicas estão passando por sinais claros de mudança, independentemente de se tratar de

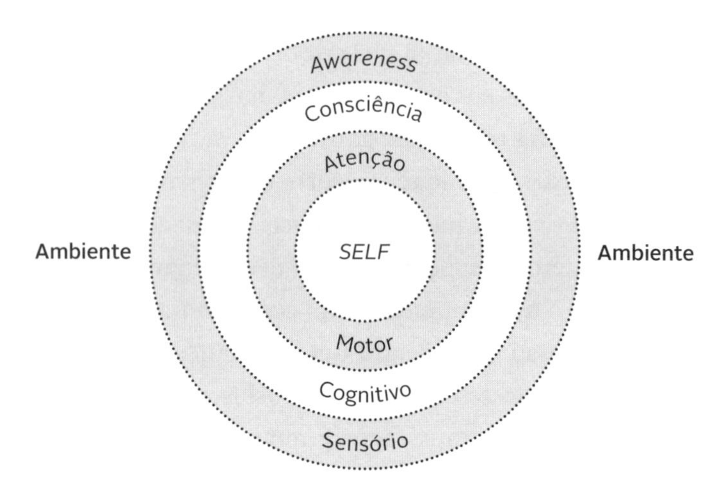

Figura 6 – Campo do ciclo de mudança

A mudança é decorrência da vivência de uma consciência emocionada, a qual é fruto da interação dos sistemas sensório, cognitivo e motor da pessoa com o ambiente. Esses sistemas podem ser combinados das mais diversas maneiras, formando diferentes tipos de comportamento e de traços de personalidade. O *self*, enquanto sistema de contatos e central energética holística do desenvolvimento humano, cria condições de mudança pelo abandono de fatores negativos e pelo investimento nos fatores positivos que permitem a evolução e, consequentemente, a mudança da pessoa humana. O *self*, propriedade estrutural e estruturante da personalidade humana, muda, se desenvolve sempre que, experienciando a direção, a força e o ponto de aplicação de uma energia, se sincroniza com o todo maior, na busca de uma comunalidade que cria objetivos comuns de crescimento. A atenção é regida pelo sistema motor, a consciência pelo sistema cognitivo e a *awareness* pelo sistema sensório, o que nos permite uma maior visibilidade e operosidade na condução do processo psicoterapêutico.

Cada um desses sistemas tem uma forma de contato que lhe é própria e, embora numa visão holística deva-se admitir que nenhum deles funciona isoladamente, devemos também afirmar que é a inter e intradependência dos três sistemas, em dado momento e em dado campo, que produz um contato pleno. Quando me dou conta de que estou emocionalmente tocado, a relação organismo/ambiente foi acionada e posso visualizar melhor o que, onde e como o diferente se interpôs entre meu organismo e a realidade fora de mim.

psicoterapias centradas no sentir, no fazer ou no pensar. Podemos dizer o mesmo da Gestalt-terapia. Existe uma Gestalt-terapia prioritariamente centrada nos sensações, nos sentimentos, nas emoções. Existe uma Gestalt prioritariamente centrada no fazer e na ação. E existe uma Gestalt prioritariamente centrada no cognitivo, na palavra, no pensamento. Uma não é melhor que a outra, elas simplesmente são diferentes. Qualquer das três, porém, deixará de ser Gestalt-terapia no momento em que não se basear, teórica e praticamente, na psicologia da Gestalt, na teoria do campo, na teoria holística e perder aquilo que é próprio de sua natureza, que é ser experiencial, fenomenológica e existencial.

CAMPO E CONTATO

Em qualquer teoria, os conceitos devem funcionar como as placas de orientação em uma grande cidade. É por essas sinalizações que nos asseguramos de estar na estrada certa, na rua certa e de que chegaremos ao nosso destino. Esses sinais têm de ser entendidos por todos de maneira idêntica, pois, do contrário, transformariam a cidade num caos, e ninguém chegaria a lugar nenhum.

Certas cidades são de tal modo bem sinalizadas que a margem de erro para aqueles que procuram certo lugar é mínima. Outras, parcialmente sinalizadas, obrigam o motorista a colocar sua criatividade, inteligência e percepção em plena atividade, sob pena de não chegar a seu destino.

Entre estas últimas, as placas podem ter diversos defeitos: são pequenas, mal escritas, colocadas próximas demais da bifurcação, quando o motorista não tem mais tempo de voltar atrás; contêm informações em excesso e o motorista não consegue lê-las; contêm informações vagas, gerais, e o motorista não pode decidir etc.

O mesmo ocorre quando queremos pensar teoricamente uma forma de psicoterapia. Algumas teorias são fartamente sinalizadas, outras não. Acredito que a Gestalt-terapia fica a meio caminho. Embora tenha um campo teórico definido, a amplidão de suas teorias e filosofias de base coloca o pesquisador em dificuldade para fazer pontes que, operacionalmente, o ajudem a atravessar o rio de suas dúvidas.

Esses desafios emanam seja da novidade da teoria, seja da dificuldade de ter uma visão gestáltica das teorias que lhe servem de base, seja ainda por importarem conceitos análogos ao de outras teorias, como resistência, transferência, inconsciente, *self* e outros que lá são bem definidos, mas aqui precisam de ajustes.

A Gestalt-terapia e a abordagem gestáltica estão fundadas no humanismo, no existencialismo, na fenomenologia, na psicologia da Gestalt, na teoria do campo, no holismo de Smuts e no holismo organísmico como filosofias de base.

Qualquer conceito da Gestalt-terapia precisa ser compreendido e explicado à luz dessas teorias. Se isso não for possível, ele não poderá pertencer ao seu campo teórico.

Não importa se os conceitos de resistência, transferência, contratransferência, inconsciente e *self* têm origem em outros campos teóricos. Importa saber se eles podem ser compreendidos e explicados à luz das teorias anteriormente citadas. Se sim, eles pertencem também à abordagem gestáltica, porque nenhum conceito é propriedade exclusiva de uma única teoria. Afinal, antes de serem propriedades de uma teoria, são expressões da realidade humana de cada um. Se não, devem simplesmente ser abandonados.

> Para Isadore From, a questão da identidade era de máxima importância. Terminologia é um elemento essencial de linguagem precisa e, se alguém usa o termo "Gestalt-terapia" para identificar uma construção teórica, deve permanecer fiel aos princípios articulados por Perls, Hefferline e Goodman em *Gestalt therapy: excitement and growth in the human personality.* Se você achar as riquezas da nossa teoria inadequadas ou insatisfatórias ou atraídas pela aceitação de profissões convencionais, mude-a como desejar, mas tenha respeito para deixar a identidade da Gestalt-terapia intacta. (Wysonig, 2011, p. 8)

Tem-se, às vezes, a impressão de que muitos autores incluem ou excluem conceitos com base em uma discussão do conceito em si, dissociada das ligações epistemológicas que os colocam ou não em dado campo teórico.

Os conceitos de self *e de resistência, por exemplo, não podem ser discutidos isolados de comparações entre psicanálise, relações objetais e Gestalt-terapia, mas sim à luz de uma concepção humanista, fenomenológico-existencial, e da psicologia da Gestalt, da teoria do campo e da teoria holística. Ou os conceitos de* self, *resistência, inconsciente e outros são explicados à luz dessas teorias ou então não se está falando da abordagem gestáltica, e eles não servem ao seu campo teórico. Estou dizendo que existe uma universalização conceitual, teórica por meio da qual tudo está ligado a tudo e nos permite uma extensão do significado desses construtos de tal modo que possam ser operacionalizados a partir de outro referencial teórico.*

Não se nega um conceito dizendo apenas que ele não pertence à natureza da Gestalt-terapia. Todo conceito retrata ou deveria retratar um processo humano que ocorre, consequentemente, na pessoa humana, e as teorias lhe dão um nome. Importam os processos que contêm, e não os nomes que venham a ter. Importa, sim, identificá-los, descrevê-los e operacionalizá-los.

É nesse contexto que estamos desenvolvendo *o conceito de contato*, visto aqui na sua complexidade como construto e processo em ação.

"O contato é a experiência, o funcionamento da fronteira entre o organismo e o ambiente" (Robine, 2006, p. 52).

"O contato é *awareness* do campo ou resposta motora no campo [...] É *awareness* da novidade assimilável e comportamento com relação a esta; e rejeição da novidade inassimilável. *Todo contato é ajustamento criativo do organismo e ambiente*" (Perls, Hefferline e Goodman apud Robine, 2006, p. 52).

O contato pode ser visto como efeito ou como causa em um dado processo, e ocorre sempre em dado campo.

Somos o resultado do contato de nossas relações organismo-ambiente ao longo do tempo. O contato é efeito das relações que mantivemos com os diversos campos em que nos movemos.

Enquanto gera gestos, sinais, o contato é figura e pode ser visto, descrito; como fundo, é expressão de nossas introjeções acumuladas ao longo dos anos e simbolizadas pelo nosso modo de estar no mundo.

O contato é, portanto, um jeito de ser e um jeito de se expressar. Ele me faz visível aos outros e me remete à camada mais profunda de mim mesmo, quando tento perceber o porquê do meu jeito de ser.

Essas duas realidades são resultado de uma correlação de variáveis, que procedem de diversos campos que atuam na sua formação e no modo de sua elaboração com relação ao mundo exterior.

O contato não surge apenas de uma elaboração intrapsíquica; é fruto do encontro dinâmico existente na relação pessoa-mundo, organismo-ambiente, em dado tempo e espaço e que pode ser representado pelo nosso conceito de campo.

O surgimento de um modo de ser, que se faz visível no modo como fazemos contato, é operacionalizado pelos três sistemas básicos de nossa estrutura vital: o sensório, o cognitivo e o motor, os quais, em íntima relação com os diversos

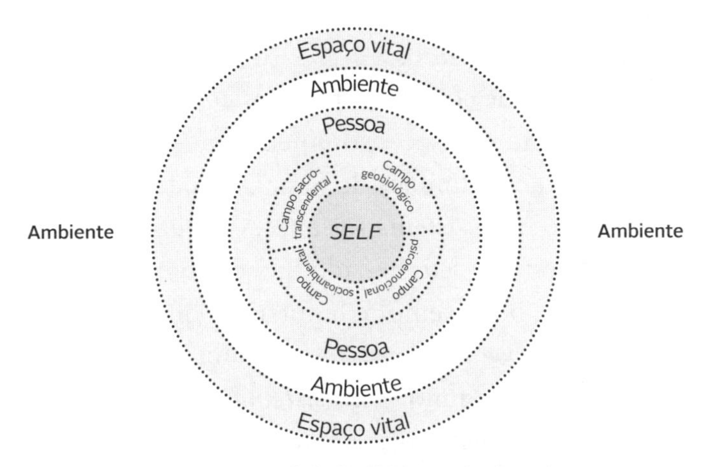

Figura 7 – Ciclo holístico relacional

Espaço de vida ou vital é a totalidade das variáveis psicológicas (pessoa) e não psicológicas (ambiente) presentes em dado campo, em dado momento. A relação humana é constituída pela relação sujeito-objeto e é função do espaço de vida. Este se modifica quando se muda a relação. Vivemos, ao mesmo tempo, em quatro campos: um como figura e os outros como fundo. Teoricamente, começamos no campo geobiológico (relação organismo-ambiente), passamos ao psicoemocional (relação mente-corpo), em seguida ao socioambiental ou comportamental (relação comportamento-ambiente) e deste ao sacrotranscendental, que só ocorre quando os três primeiros, relacionando-se em profunda harmonia, se inter e intracomunicam, formando uma unidade significativa que é fruto, em última análise, da força holística do universo que impulsiona tudo a se tornar um Todo. Nesse caso, atinge um ápice, uma perfeição, uma totalidade que, naquele momento, é possível.

campos em que nos movemos, somos e existimos, fazem surgir nosso *self*, visível através do nosso eu, que é a instância manifesta do contato (Figura 7).

Os sistemas sensório, cognitivo e motor se inter-relacionam diferentemente, dependendo do que está acontecendo na fronteira entre organismo-ambiente, isto é, de como experienciamos os campos geobiológico, psicoemocional, socioambiental e sacrotranscendental. Cada sistema, como parte de uma totalidade, ora se relaciona mais com determinado campo, ora mais com outro, podendo assim criar possibilidades múltiplas de formas de contato entre campos e, consequentemente, de comportamentos.

Nossa forma de contato é fruto das combinações que, ao longo dos anos, foram se constituindo como nossas respostas mais habituais aos estímulos de fora. Dependendo, portanto, do modo como cada sistema se conecta em um dado campo, passamos a produzir determinado tipo de comportamento.

Poderemos, por exemplo, hipotetizar que o introjetor é alguém que teve seu *sistema motor* inibido com os "Não faça isso, não faça aquilo"; seu *sistema cognitivo* superestimulado com os "Pense sempre antes de agir, cuidado com os erros". Esses dois tipos de orientação afetaram imediatamente seu *campo psicoemocional*, produzindo nele um medo generalizado, que afetou seu campo *socioambiental,* fazendo-o assumir sempre atitudes tímidas, prudentes, com dificuldade de relacionamento e profunda desconfiança de si mesmo. Poderíamos supor mil combinações entre sistemas e campos, consequentemente mil formas de contato, na condição de ajustamento criativo da fronteira organismo ambiente. Na realidade, a natureza já fez isso ao longo do tempo. É função da psicoterapia dialogar com os meandros por onde passamos e os acordos silenciosos, os ajustamentos criativos disfuncionais que fizemos.

Saúde e doença seriam, portanto, fruto de combinações saudáveis ou não saudáveis entre campos a partir de como nossos diversos sistemas interagem. Estamos, porém, longe de poder fazer um diagnóstico real com base nessas combinações. Muita pesquisa ainda será necessária para criarmos uma psicotipologia processual, confiável, baseada nesses dados.

Indo além dos modelos de ciclo de contato já apresentados nas edições anteriores, apresento a seguir mais dois deles.

O ciclo integrado dos sistemas, níveis e funções do contato envolve o ciclo tradicional dos fatores de cura e bloqueios/interrupções do contato, os três sistemas básicos de nossa estrutura humana (sensório, cognitivo, motor) e as funções do *self*, de tal modo que, em uma simples visada, podemos identificar, ao mesmo tempo, o mecanismo de cura e de bloqueio, o respectivo sistema e a função do *self* que abrange o referido mecanismo. Por exemplo, se diagnostico alguém como introjetor, ele estará localizado do ponto de vista dos sistemas no sistema motor e, do ponto de vista das funções do *self*, na função ego do *self*. Esse olhar cria mobilidade na estrutura do ciclo e na percepção de quem observa a pessoa. Tal procedimento facilita o processo psicoterapêutico como uma possível trilha a ser pesquisada.

Devo esclarecer que, quando digo “psicodiagnóstico”, estou me referindo a um olhar fenomenológico descritivo, processual, um *flash* de uma situação experimental de uma pessoa na sua relação com o mundo que pode ser captada no aqui-agora, no instante. Não estou falando de um diagnóstico

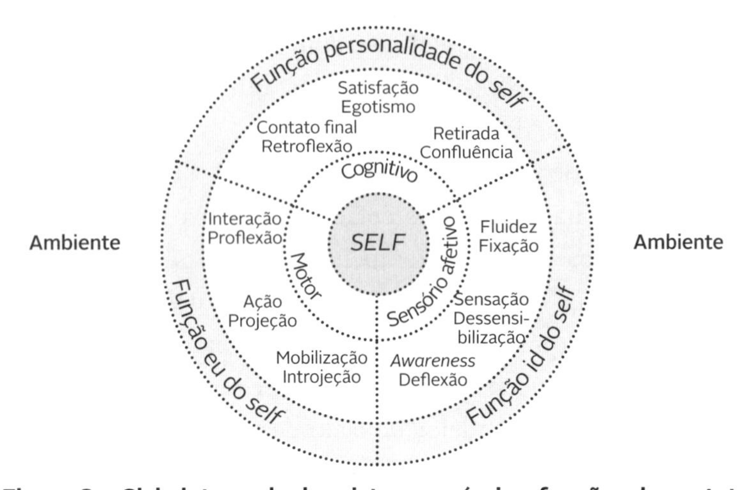

Figura 8 – Ciclo integrado dos sistemas, níveis e funções do contato

Esse modelo contempla: 1) O ciclo tradicional do contato, que envolve as etapas ou processos de saúde, bloqueios ou interrupções do contato, ou seja, ajustamentos criativos funcionais e disfuncionais. 2) Os três sistemas de funcionamento humano: sensório-afetivo, motor e cognitivo. 3) O *self*, um existencial que é uma propriedade estrutural, inerente à essência da pessoa humana, e está permanentemente em dinâmica mudança pela conjugação das variáveis (eu, id e personalidade) que interferem no nosso movimento. Existindo na pessoa e sendo um centro de processamento de dados da personalidade humana, juntamente com o eu, o *self* cria as individualidades existenciais e a multiplicidade fenomênica que caracteriza todo ser humano. Esse modelo mostra, ao mesmo tempo, o "todo"-*self*, o "todo"-sistemas e o "todo"-global, isto é, o ciclo do contato como um todo, e esses elementos, dinamicamente intra e inter-relacionados, formam o "todo"-pessoa.

definitivo, estrutural, muito menos de uma tipologia, mas apenas descrevendo um processo que, no momento específico da vida da pessoa no mundo, pode ser descrito como introjetor. É o que Goodman chama de *presente transiente concreto*.

A Gestalt-terapia pode ser definida como uma terapia do contato em ação, no sentido de que terapeuta e cliente se fazem presentes um para o outro, se encontram fazendo da diferença seu ponto de mutação, se cuidam para que a psicoterapia seja um momento de cura, estético, e se incluem numa confluência saudável, mantendo suas individualidades como ponto de partida. Somos os contatos que fizemos e continuamos a fazer. O processo terapêutico recapitula, mostra o modo como o cliente faz contatos no mundo. Diante do terapeuta, o cliente abre, às vezes escancara, o livro de sua vida, introduz o terapeuta nos seus meandros, nos seus deltas experienciais, e ali o terapeuta pode ver os ciclos existenciais pelos quais o cliente procura dar sentido a ele próprio e à sua vida. Fazer contato é entrar respeitosamente na intimidade do outro e lá cuidar de suas feridas.

Mediante o ciclo do contato, o terapeuta tem a oportunidade de que se abram as portas existenciais do outro e com ele caminhar, percorrer os diversos lugares nos quais o cliente se perdeu e, ao mesmo tempo, encontrar atalhos que possam lançar luzes sobre sua estrada, às vezes pouco iluminada.

Às vezes, para crescer, o cliente precisa apenas de um facho de luz; em outras, apenas alargar um pouco mais a fresta da porta, através da qual ele, medrosa ou cuidadosamente, olha o mundo lá fora...

É de lá que ele precisará ser resgatado por meio de suas histórias, de suas teias, pois sabe que só conseguirá sair e atravessar aqueles espaços quando a luz do outro até ele se fizer chegar. A partir daí, haverá uma explosão luminosa que o envolverá amorosamente, trazendo o dia ensolarado à sua existência – e é sob essa nova luz que ele, cliente, poderá novamente voltar a crescer.

Essa caminhada passa necessariamente pela convicção profunda de que contato é mais que interagir com o outro, pessoa ou coisa. Contato pleno, Gestalt plena é um encontro amoroso de cumplicidade com a totalidade do ser e do existir do outro. Para isso, é preciso que não percamos a dimensão de que somos biopsicossocioespirituais. Dizendo de outro modo, que somos *ambientais-animais-racionais*, pois é através dessas dimensões que o contato cumpre seu processo interno de promover nossa humanidade. Fazer contato é experienciar e vivenciar essas múltiplas dimensões, pois só por meio delas um genuíno encontro humano pode acontecer.

Nosso contato transcende a simples relação nossa, conosco e com o ambiente. Estamos, na verdade, em contato com o cosmo, com o universo. E a recíproca é, necessariamente, verdadeira. Somos essencialmente cósmicos. *Somos o mundo, o mundo somos nós*. A imagem que temos de nós mesmos, essa consciência desse si-mesmo que nos invade é herança de todo um processo cósmico que evoluiu até produzir cada indivíduo, no universo e, sobretudo, nós mesmos. Somos fruto de um cósmico contato que finaliza, por agora, sua caminhada em cada um de nós. Se não estivéssemos em processo de evolução continuada, eu diria que somos, aqui-agora, fruto e finalização de um contato e de uma Gestalt plena. É a esse misterioso si-mesmo, a esse dar-se conta de quem somos, a esse sentir-se pertencendo ao universo, que nos invade e que nos dá presença, que chamo de *ipseidade*, resultado, por agora final, de todo nosso comum processo evolutivo de contatos através de todos os ciclos que nos precederam e nos constituíram humanos, bem como ao universo.

Uma observação final neste tópico. Quando falamos de contato, de ciclo ou ciclos de contato, frequentemente deixamos de lado os processos grupais de contato. Vivemos em grupo; e, no grupo, nossas relações de contato se tornam extremamente complexas – eu diria até que nossas disfunções de

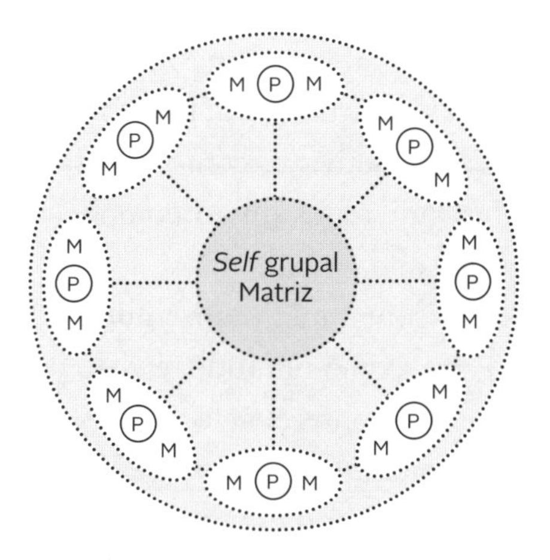

Figura 9 – Espaço vital grupal

O espaço vital (EV) é a totalidade do grupo constituída de cada um dos seus membros. Inclui variáveis psicológicas e não psicológicas. O EV é o resultado do aqui-agora, em um dado campo. O espaço vital, o *campo*, é a totalidade do grupo que se constitui a partir do processo de cada um dos seus membros. Inclui variáveis psicológicas e não psicológicas. O EV é a configuração do campo, e as inúmeras variáveis provenientes das redes de comunicação que emanam de cada membro do grupo são o resultado de um aqui-agora em dado campo. O grupo é uma rede de contatos, funcionando como um todo, sendo sua produção final fruto dessa inter, intra e trans-relação, atingindo níveis que de maneira nenhuma podem ser quantificáveis. A matriz grupal, que se revela como um *self* grupal, é a síntese de toda a trajetória percorrida pelo grupo ao longo de sua existência. Essa figura nos permite visualizar um dos princípios pétreos da teoria holística: que o grupo é diferente da soma de suas partes e que se deixa reger por leis próprias.

contato grupais são as mais responsáveis pelos nossos desequilíbrios e pela quebra de nossa autorregulação. Embora não queira aprofundar as relações grupais de contato, eu não poderia deixar de mencionar a importância de estarmos atentos aos modos como bloqueamos nossos contatos quando em relações grupais (Figura 9).

Esse modelo completa e revela uma lacuna no sentido de mostrar as formas de contato que um grupo desenvolve na formação de sua matriz ou do seu *self* grupal na constituição do espaço de vida ou campo grupal. O grupo é uma extensão da experiência vivida, aqui-agora, por um grupo de pessoas, é como uma pessoa coletiva e, como a pessoa, vive todos os mecanismos dos indivíduos que o compõem, apenas de maneira mais complexa e grupal.

Esse modelo contempla, sobretudo, a psicoterapia *do* grupo, no qual este, como um todo, é visto como uma pessoa, no qual tudo que acontece nele é visto, prioritariamente, como uma produção sua, que é o que chamamos terapia *do* grupo. Nesse caso, o grupo é a figura e a pessoa é fundo. De maneira menos clara, mas nem por isso menos adequada, os modelos de terapia *em* grupo e terapia *de* grupo também podem ser enfocados segundo esse modelo invertendo-se, de algum modo, a relação. Aqui na terapia *em* grupo e *de* grupo, a pessoa é figura e o grupo é fundo.

Esse ciclo se torna uma expressão clara do que é parte-todo e figura-fundo na relação cliente-terapeuta e, sobretudo, cliente-cliente como participantes de uma totalidade, porque no conceito de espaço vital ou de vida, no *campo* não se pode separar o que é figura do que é fundo, o que é parte do que é todo.

Esses modelos têm a clara intenção de serem instrumentos clínicos na clínica fenomenológica gestáltica. Estamos descrevendo situações por meio das quais se pode antever, sem concluir, a caminhada que o cliente ou o grupo vêm fazendo ao longo da vida e, sobretudo, naquele específico espaço de tempo de sua caminhada.

Não estamos fazendo filosofia, mas pensando, fenomenologicamente, um modelo que nos aproxime da experiência vivida pelos nossos clientes.

O processo grupal é a síntese de todos os contatos ou bloqueios vividos pelos participantes. O contato que expressa a alma dos indivíduos é também o processo por meio do qual o grupo revela sua saúde e sua patologia. O grupo, como indivíduo, se distribui por todo o ciclo tanto na direção da mudança quanto dos bloqueios.

A mudança ou cura grupal é fruto da qualidade de contatos que o grupo desenvolve ao longo de sua constituição e formação subjetivas, internas. *Motivação, segurança, permissão para falar, coesão grupal* são condições fundamentais na constituição de um grupo. O terapeuta deverá estar atento, todo o tempo, à presença atuante dessas quatro condições, sem o que o grupo não funciona. São pilares que constituem e revelam toda a complexidade de um processo grupal. O processo de constituição de um grupo passa por esses quatro momentos e sua construção é a saúde do grupo enquanto fator coletivo, objetivo primordial do processo terapêutico.

SELF E CICLO

Self não é um conceito fácil de ser traduzido em português, porque não se pode fazê-lo com uma única palavra. Em inglês, *self* é um nome, um substantivo, algo, portanto, com existência própria, e em português deve ser traduzido com a ideia de algo real, concreto.

O *Oxford advanced learner's dictionary of current English* apresenta várias definições de *self*, entre as quais esta: "Qualidades especiais, natureza da pessoa, a natureza mais nobre de alguém". E o *Webster's dictionary* também dá, entre outras definições, a seguinte: *self* é "a união dos elementos [...] que constituem a individualidade e a identidade da pessoa".

Ambas as definições nos remetem ao centro de uma profunda discussão sobre a real natureza do *self* ou do que se chama "Psicologia do *self*", na qual, sobretudo, a psicanálise, Jung e as teorias existenciais fenomenológicas tentam fazer suas formulações.

> Para nossos propósitos, vamos discutir brevemente três dessas estruturas do *self* – o ego, o id e a personalidade – porque, por razões diversas de tipos de pacientes e de método de terapia, essas três estruturas parciais foram consideradas nas teorias da psicologia anormal como sendo a função total do *self*. (Perls, Hefferline e Goodman, 1997, p. 184)
>
> [...] Consideramos o *self* como a função de contatar o presente transiente concreto; indagamos sobre suas propriedades e atividades e discutimos os três principais sistemas parciais – ego, id e personalidade – que em circunstâncias específicas parecem ser o próprio *self*. (*Ibidem*, p. 177)
>
> Então, explanando a atividade do *self* como um processo temporal (*porque ele não é só estrutura, se o fosse, discutiríamos o self como um processo espacial, mas como ele é processo o discutimos como um processo temporal, dividido em etapas*), discutimos as etapas de pré-contato, contatar, contato final e pós-contato; e isto constitui um relato da natureza do crescimento como ajustamento criativo. (*Ibidem*, p. 178)
>
> O processo de contato é um único todo, mas podemos dividir convenientemente a sequência de fundos/figuras da seguinte maneira:
>
> 1. Pré-contato: o corpo é o fundo; o apetite ou o estímulo ambiental são a figura. Isto é o que está consciente como sendo

"aquilo que é dado" ou o id da situação, dissolvendo-se em suas possibilidades.

2. Processo de contato: a) o excitamento do apetite torna-se o fundo e algum "objeto" ou conjunto de possibilidades é a figura. O corpo diminui (ou, contrariamente, na dor, o corpo torna-se figura). Há uma emoção. b) Há a escolha e a rejeição de possibilidades, a agressão ao se aproximar de obstáculos e superá-los e a orientação e manipulação deliberadas. Estas são as identificações e alienações do ego.

3. Contato final: em contraste com um fundo de ambiente e corpo desprovidos de interesse, o objetivo vívido é a figura e está em contato. Relaxa-se toda deliberação e há uma ação espontânea unitária da percepção, do movimento e do sentimento. A *awareness* está no seu ponto mais radiante, na figura do tu.

4. Pós-contato: há uma interação fluida entre organismo/ambiente que não é uma figura/fundo: o *self* diminui. (*Ibidem*, p. 208-209)

Não é nossa intenção entrar nos meandros dessas distinções. Basta-nos, por ora, ver as diversas posições ou definições internas da própria Gestalt-terapia no que diz respeito à teoria do *self* e tentar objetivá-lo no contexto do ciclo do contato.

Existem duas, ou muitas mais, posições clássicas na literatura.

A *primeira* identifica *self* com contato, afirmando claramente: *self* é contato, contato é *self* – e, portanto, o *self* só existe quando se está em contato. Essa é a posição assumida por Perls, Hefferline e Goodman em *Gestalt therapy* (1951), preanunciada por Perls em *Ego, hunger and aggression* (1946).

McLeod (1993, p. 25) resume bem essa posição quando afirma: "A mais profunda premissa da Gestalt é que nós nos criamos no nosso contato: nossa verdadeira existência psicológica é depender do relacionamento. [...] nós somos o contato que fazemos. Nós existimos, psicologicamente falando, quando contatamos o universo".

Ele explica ainda que a metapsicologia gestáltica supõe dois princípios básicos: "Primeiro, a afirmação de que todo comportamento humano deve ser entendido em termos de formação e destruição de figura e, segundo, a identificação do *self* com aquelas partes do processo de formação e destruição da figura, envolvendo contato" (*ibidem*).

As citações se sucedem: "Onde existe contato existe *self*, onde não existe contato não existe *self*. *Self* não é uma espécie de objeto, dado que um objeto ou uma essência é ilusão. O *self* é, antes, parte do mundo de processo e tempo, que só se descobre como experiência, só pode ser descoberto em contato" (McLeod, 1993, p. 26). "Contato é o mundo enquanto dado para minha experiência em um dado momento" (Perls, 1973/1977, p. 229). "*Self* é igual contato com o organismo e com o ambiente: no momento de um *self* pleno, organismo e ambiente não são distinguíveis" (McLeod, 1993, p. 26). "Neste 'contato final', o fundo está fora de *awareness*, a figura é tudo, e o contato é o *self*" (Perls, 1997, p. 417).

Goodman diz: "O *self* não é, de maneira alguma, parte do organismo, mas é uma função do campo, ele é o caminho pelo qual o campo inclui o organismo" (Perls, Hefferline e Goodman, *Gestalt therapy*, 1951, p. 400-401). "*Self* é o sistema de contato no campo organismo/ambiente" (McLeod, 1993, p. 27).

Fica claro, nessa posição, que o *self* é holístico e relacional-existencial. *É um processo figural em permanente mudança*, não obstante ser ele que, por meio da união de elementos figurais, constitui a individualidade e identidade da pessoa, fazendo que sejamos a cara dos contatos que fizemos ao longo do tempo.

> Talvez possamos resumir esta posição, dizendo: chamamos *self* ao sistema complexo de contatos necessário ao ajustamento no campo imbricado. O *self* pode ser considerado como estando na fronteira do organismo, mas a própria fronteira não está isolada do ambiente; entra em contato com este e pertence a ambos, ao ambiente e ao organismo [...] O contato é o tato tocando alguma coisa. Não se deve pensar o *self* como uma instituição fixada; ele existe onde que quer que haja uma interação de fronteira e sempre que esta existir de fato. (Perls, Hefferline e Goodman, 1997, p. 179)

A *segunda posição,* também discutida longamente por Perls em *Gestalt-terapia explicada* (1977), vê o *self* como um fundo, como um centro do qual emanam as diversas formas de contato.

Nessa posição, *self* é uma coisa-processo, existindo por si só. Sobre essa segunda posição, escreve McLeod (1993, p. 25): "De um modo ou de outro, os Polster, Latner, Hycner, Friedman, Tobin e Yontef, todos eles minam ou distorcem o *self* como contato e portanto, em certo sentido, enfraquecem o aspecto holístico e relacional, aspecto essencial à integridade de continuação da Gestalt-terapia".

Neste contexto, a discussão se complica com posições paralelas, diferentes e até contrárias.

Aqui o *self* distingue-se do eu e deixa de ser definido como contato.

Outros autores, como os Polster, identificam o *self* com o eu (McLeod, 1993); o conceito de *awareness* passa a ser fundamental para a compreensão do *self*. O *self* perde seu caráter relacional e passa a existir como uma função figura/fundo, e mais...

Enfim, *self* é uma entidade extremamente falada, mas cuja natureza não está suficientemente clara. Acredito que o *self* tem sido discutido em si, como se pudesse ser figura e fundo ao mesmo tempo, sem uma distinção clara que permita reconhecer sua verdadeira natureza relacional.

Para nós, *self* é um sistema de contato por meio do qual a personalidade se expressa e cuja função é colocar-se alternativamente como figura e/ou fundo nas relações com o mundo exterior. Colocado no centro do ciclo, é agente de contato, subjetivo e objetivo, produz e sofre contato. Nesse sentido, é um *sistema de contatos* que se expressa por intermédio de nossos três sistemas – cognitivo, sensório e motor –, sendo ora saudável, quando estes mecanismos que deles dependem se encontram na posição ou em movimento de ajustar-se criativamente com e no seu universo humano, ora doentio, quando este universo está, do ponto de vista energético, influenciado negativamente por esses mecanismos, afetando, assim, sua própria unidade relacional.

O contato é função do *self*. O *self*, portanto, torna-se mais presente sempre que o contato na fronteira se faz mais presente. *Self* e contato funcionam como figura e fundo, de tal modo que o sistema *self* decorre ou se torna mais presente na razão em que é afetado pela realidade exterior.

O contato é o alimento permanente do *self*, tendo este uma antecedência ontológica em relação ao contato. Cronologicamente falando, poderíamos dizer que *self* é contato e contato é *self*, e que um justifica a existência do outro, como figura e fundo que se sucedem na razão em que necessidades se fazem mais urgentes e preferenciais.

O ciclo do contato só pode ser entendido, nesse contexto, como expressão de um sistema, de um campo de vida total e em perene movimentação, tornando visível um processo no qual o *self* organiza sua autorregulação, sua função de ajustamento criativo, por meio de mecanismos que são sua força e expressões principais, podendo, ao mesmo tempo, desorganizar-se como sistema quando as forças do mundo o invadem sem lhe deixar chance de defesa.

Sylvia Crocker (1988) diz que *self* é a alma e a psique humana. Eu não faria tal afirmação. "*Self* é um sistema de contatos em qualquer momento" (Perls, Hefferline e Goodman, 1997, p. 49), é como uma matriz produtora de variados processos. Ele não está no corpo, não tem uma sede corporal como a inteligência e a memória, que produzem uma série de processos coerentes com sua natureza. Emana da alma, é uma propriedade, uma coisa, um jeito específico de ser e estar. É bom que se esclareça que tudo que é matéria é coisa ("res", em latim), mas nem toda coisa é matéria, por exemplo, Deus. Coisa significa que o existente tem ou pode ter certa substancialidade, espacialidade, algo que se deixa "ver" através da forma e da função que as coisa assumem ao ser identificadas.

A alma é como nossa essência. Toda essência tem propriedades por meio das quais se faz inteligível. O *proprium* emana naturalmente da essência, de tal modo que negar uma propriedade é descaracterizar a essência. É uma relação de extrema e absoluta intradependência, funcionando um com relação ao outro como figura e fundo de uma totalidade maior. *Self* é um *proprium* da alma.

O *self* não é a alma, mas é uma de suas mais essenciais propriedades. Não é a alma, porque a alma não muda do ponto de vista de sua essência, ao passo que o *self* muda ao longo dos anos. É, por exemplo, como o sorriso, porque sorrir é uma propriedade humana. Permanecendo essencialmente o mesmo do ponto de vista da definição, vai mudando ao longo dos tempos. Assim é o *self*. É relacional por natureza, pois foi feito para estar permanentemente em contato, em movimento, em mudança, assumindo inclusive formas visíveis de ação, como projeção e introjeção.

O *self* é nosso espelho existencial e o modo como a alma se deixa ver e se revela. A alma é o nosso princípio vital essencial, o *self* é a emanação desse princípio vital e, nesse sentido, não pode não ser, ele é com a alma. Como propriedade, nascemos com ele, e ele se desenvolve ao longo dos anos de acordo com os contatos que fazemos. "[...] o *self* é precisamente o integrador; é a unidade sintética, como disse Kant. É o artista da vida. É só um pequeno fator na interação total organismo/ambiente, mas desempenha o papel crucial de achar e fazer os significados por meio dos quais crescemos" (Perls, Hefferline e Goodman, 1997, p. 49).

O ciclo de contato com o *self* no centro é, assim, a expressão mais afirmativa *de seu aspecto relacional*, dado que cada ponto do ciclo não existe separadamente como uma tipologia – eles, ao contrário, estão imbricados um no outro, de tal modo que, nesse contexto, não podem ser pensados separadamente, sendo o ciclo uma totalidade em movimento; *da sua temporalidade*, no sentido de que nada é fixado ou fixo no ciclo, ele anda, está em processo, tudo nele se move como se move a pessoa humana, pois não estamos falando de sintomas, mas de pessoas vivas e próprias com o corpo à procura da melhor configuração; *de sua espacialidade*, totalidade visível muitas vezes acompanhada de um *quantum* emocional nas diversas formas que o contato assume como expressão visível, desenhada, da pessoa humana.

É aqui que surge o "eu" como o lado visível do *self*, como o administrador das energias do *self*. E de novo aqui poderíamos dizer que entre *self* e eu existe uma relação de figura e fundo, sendo o eu a figura na fronteira da relação *self*-mundo e o *self* o fundo, cuja permanência permite ao eu pautar-se com normalidade perante o mundo. *Self* e eu ficam em paz quando a autorregulação *self*-eu-mundo encontra-se sob medida.

O ciclo é, portanto, concebido como um sistema *self*-eu-mundo. Permite-nos ler a realidade por intermédio dele, bem como entender o processo pelo qual esse sistema foi se estruturando ao longo do tempo. Revela um processo de relacionamento entre o *self*, o eu e o mundo, partindo de um processo mais primitivo, fixação/fluidez, para uma forma mais complexa de estar no mundo, confluência/retirada.

O *self* é um sistema central de contatos, interior, como uma coluna vertebral. É o lócus onde ocorrem as emoções, as sensações mais profundas. É o lócus onde sentimos as coisas. É a síntese daquilo em que nos tornamos ao longo da vida. É nossa autoimagem, é aquilo que sentimos quando dizemos: eu sinto, eu penso, eu faço, eu falo. O sentido das coisas e de nós mesmos emana dele. É o retrato que fazemos de nós mesmos.

O *self* é o lado invisível do eu. O *self* sente, o eu age. Age, às vezes, em consonância com o *self*, e, às vezes, à revelia dele. O eu é um executor do *self*. Quando percebe o que o *self* quer ou sente, entra em ação. Está sempre a serviço do *self*. O eu é corporal no sentido de que através do corpo ele se faz visível, revelando o centro das coisas, emoções, sensações, o imediato da vontade. O eu revela o *self*.

> [...] Essa descrição resume ato plástico no qual o psicoterapeuta é levado a associar-se no espaço da relação terapêutica.
> As condições de atualização do *self* são as seguintes:
> - O *self* seleciona a realidade para encontrar sua própria realidade; ele se identifica com aquilo que ativa ou mobiliza o fundo, e descarta o resto.
> - Ele se dirige à realidade do ambiente e a transforma, de modo que nenhuma preocupação pertinente permaneça imutável no ambiente.
> - Ele aceita e completa as situações inacabadas dominantes do organismo de modo que não reste mais nenhum desejo na tomada de consciência do corpo.
> - Durante o processo, ele não é apenas o artesão ativo da solução, nem de seu produto passivo, mas adota progressivamente uma "voz média" para crescer na direção de uma solução. (Robine, 2006, p. 40-41)
>
> [...] O engajamento desses dois modos de funcionamento do *self* na atividade atual, ou seja, sua atualização nas escolhas e rejeições, na experiência de contato organismo-ambiente, será gerado pelo *self* em sua "função *ego*".

"Como aspecto do *self* num ato simples espontâneo, o id, o ego e a personalidade são as etapas principais do ajustamento criativo:

> o id é o fundo determinado que se dissolve em suas possibilidades, incluindo as excitações e as situações passadas inacabadas que se tornam conscientes, o ambiente percebido de maneira vaga e os sentimentos incipientes que conectam o organismo e o ambiente. O ego é a identificação progressiva com as possibilidades e a alienação destas, a limitação e a intensificação do contato em andamento, incluindo o comportamento motor, a agressão, a orientação e a manipulação. A personalidade é a figura criada na qual o *self* se transforma e assimila ao organismo, unindo-a com os resultados do crescimento anterior. [...] (Perls, Hefferline e Goodman, 1951, II, p. 185)". (*Ibidem*, p. 61-62)

Eu e *self* são como figura e fundo: inseparáveis. Constituem um grande campo, dinamicamente interligados, trabalhando em íntima, contínua e profunda relação. Só por abstração podem ser pensados separadamente. Um permite a existência do outro. O *self* é uma matriz, um sistema operacional de contatos. Coloca-se em íntima relação com os mecanismos de equilibração organísmica, os quais, por sua vez, ora são saudáveis, quando funcionam como protetores naturais da relação *self*-eu, ora não são saudáveis, quando se transformam em verdadeiros anteparos, verdadeiras defesas neuróticas do eu, sem nunca deixar, entretanto, sua função de ajustamento criativo, embora de maneira disfuncional.

Ambos estão em íntima relação com o mundo, com o ambiente. O *self* está em contato com o mundo por intermédio do eu, o qual funciona como uma seta lançada à procura de um novo e definido objetivo: ora à procura apenas do diferente, ora como um anteparo em defesa do *self*. O mundo existe e o eu se coloca, numa função equilibradora, entre as forças do mundo e as sensações do *self*. Nesse contexto, surgem os mecanismos de defesa do eu, isto é, pertencentes ao eu. Não é o eu que se defende, o eu defende o *self* de uma ansiedade emergente, de um temor incontrolável, de uma alegria desproporcional. É função do eu a autorregulação do organismo. Por razões desconhecidas, o *self* passa a ter seus segredos. Sente e não se manifesta, tem vontade e se cala, está com medo e não pede socorro. Nesses casos, o eu fica impotente, não aciona suas defesas e até acredita que o *self* vai bem, e aí tudo pode acontecer. O *self* se enfraquece cada vez mais e, quando pede socorro ao eu, este está tão distante que quase nada pode fazer, quer ajudar e não consegue. Suas defesas se enfraqueceram, porque tudo parecia tão igual que ele não sentia o aparato em perigo.

Variáveis psicológicas e não psicológicas são igualmente determinantes do comportamento humano. Na verdade, embora distintos, *self*-eu-mundo formam uma trindade na qual o princípio regulador de tudo, a vida, que os inunda, é a energia unificadora dos três, a qual está presente em todas as coisas, produzindo semelhanças e diferenças entre elas.

Ciclo do contato é o espaço de vida total de uma pessoa, de um grupo, de um lugar, de uma empresa. Ele revela as mil possibilidades dentro das quais a realidade, pessoa ou coisa se expressam. Esse modelo aplica-se tanto à parte clínica quanto às diversas formas que a abordagem gestáltica comporta. Também uma empresa, uma escola, um hospital, um grupo formado de esportistas, como um todo, são um campo, um corpo, um *self*, podem fluir, sentir, mover-se, agir... (etapas do ciclo do contato), como também ali o contato poderá ser interrompido, bloqueado em outras formas de interrupção. Percorramos livremente as etapas a seguir.

Ser saudável é, antes de tudo, FLUIR, deixar-se levar, entregar-se ao movimento, se *des-aprisionar*, deixar-se liquidificar. É sentir, se perceber, se experimentar, deixar-se afetar, se deixar possuir. É estar CONSCIENTE-*AWARE*, consciente de que se é um corpo vivo no mundo, em profundo contato com sua relação mundo-corpo, em ajustamento reflexivo, interativo com o momento emergente. É MOBILIZAR-SE, se perceber em movimento, em modificação, circulando as ideias, olhando o amanhã com ações concretas. É AGIR, é levar a efeito o proposto, é executar o *pré-visto*, é realizar o falado, é converter em ação o pensado, o desejado. É INTERAGIR, é ter e viver a reciprocidade pessoa ou coisa, é combinar mobilização e ação com um terceiro previsto, é aceitação positiva do diferente no sentido de se chegar, efetivamente, ao outro pessoa ou coisa. CONTATO FINAL é perceber que o aqui-agora é o instante onde a realidade pensada, desejada, ocorre, é sair do sim e do não, da dor ou do prazer de maneira clara e definitiva, é aceitar, conviver com o outro não como um acaso, mas como uma decisão de reciprocidade. SATISFAÇÃO é acolher, consciente e responsavelmente, o fruto dos talentos que se administrou, é dar por terminada a estrada iniciada, é olhar para trás e reconhecer que valeu a pena o trecho percorrido. RETIRADA, o ponto de chegada, é muitas vezes o início de uma nova caminhada, mas é preciso sair sem olhar para trás, viver o espaço e o tempo de um novo espaço e de um novo tempo.

O ciclo traz os seguintes processos, que defino como ciclo do contato e/ou como fatores de cura e são formas de ajustamento criativo funcionais: fluidez, sensação, consciência, mobilização, ação, interação, contato final, satisfação, retirada (Figura 10).

FLUIDEZ: processo pelo qual me movimento, localizo-me no tempo e no espaço, deixo posições antigas, renovo-me,

Figura 10 – Fatores de cura: mecanismos saudáveis

Esse ciclo, cujo movimento começa teoricamente em fluidez, retrata o movimento natural do ser humano à busca de seu equilíbrio, de sua saúde. É movimento e todas suas fases ou etapas são momentos de um movimento, porque ele é o retrato, nosso projeto à procura de ajustamentos criativos funcionais no sentido de fecharmos, em harmonia, nossas configurações. Teoricamente, o ciclo começa em fluidez e segue na direção dos ponteiros do relógio, indicando um ritmo ascendente na direção de um equilíbrio com começo, meio e fim. Atitudes e comportamentos que caminham na direção oposta a uma dessas etapas registram uma interrupção do contato que, permanecendo, sendo usada de maneira constante, desconectada da realidade, passa a registrar a possibilidade de comportamentos neuróticos.

sinto-me mais solto e espontâneo e com vontade de criar e recriar minha própria vida.

Sensação: processo pelo qual saio do estado de frieza emocional, sinto melhor a mim mesmo e às coisas, estou mais atento aos sinais que meu corpo me manda ou produz, sinto e até procuro novos estímulos.

Consciência: processo pelo qual me dou conta de mim mesmo de maneira clara e reflexiva, estou mais atento ao que ocorre à minha volta, percebo-me relacionando com mais reciprocidade com pessoas e coisas.

MOBILIZAÇÃO: processo pelo qual sinto necessidade de mudar, de exigir meus direitos, de separar minhas coisas das dos outros, de sair da rotina, de expressar meus sentimentos exatamente como sinto e de não ter medo de ser diferente.

AÇÃO: processo pelo qual expresso mais confiança nos outros, assumo responsabilidades por meus atos, identifico em mim mesmo as razões de meus problemas, ajo em nome próprio sem medo da minha ansiedade.

INTERAÇÃO: processo pelo qual me aproximo do outro sem esperar nada em troca, ajo de igual para igual, dou pelo prazer de dar, convivo com as necessidades do outro sem esperar retribuição, sinto que estar e relacionar-me com o outro me ajuda a me perceber como pessoa.

CONTATO FINAL: processo pelo qual sinto a mim mesmo como fonte própria de prazer, nutro-me do que gosto e do que quero sem intermediários, relacionando-me com as pessoas de maneira direta e clara, e uso minha energia para usufruir com os outros o prazer do momento.

SATISFAÇÃO: processo pelo qual vejo que o mundo é composto de pessoas, que o outro pode ser fonte de contato nutritivo, que o prazer e a vida podem ser divididos, que pensar em possibilidades é pensar em crescimento, que é possível desfrutar compartilhando e que o mundo fora de nós pode ser fonte de prazer.

RETIRADA: processo pelo qual saio das coisas no momento em que sinto que devo sair, percebendo o que é meu e o que é dos outros; aceito ser diferente para ser fiel a mim mesmo, amo o "eu" e aceito o "nós" quando me convém, procuro o novo e convivo com o velho de maneira crítica e inteligente.

Para que um contato real entre uma pessoa e outra ocorra é preciso: 1) que a pessoa sinta sua singularidade, veja-se como diferente do outro e até, numa dimensão maior, perceba-se como única, singular, no universo; 2) que a pessoa se sinta no aqui-agora e perceba que o tempo e o espaço podem se tornar algo concretamente disponível para ela; 3) que a pessoa se perceba inteira, como consciência de sua realidade e da realidade do outro; 4) *que ela possa experienciar um ajustamento criativo no campo, isto é, entre seu organismo e o ambiente, como caminho de crescimento.*

A *awareness*, consciência da própria consciência, consciência reflexa, um dar-se conta pleno, "figura sobre um fundo, conhecimento imediato na construção da relação figura/fundo" (Robine, 2006, p. 79), forma mais completa de contato, fruto da imersão consciente e total da pessoa na sua relação com o mundo, emana da junção dinâmica desses três momentos.

Perls, Hefferline e Goodman (1997) falam de cinco mecanismos chamados de interrupções: confluência, introjeção, projeção, retroflexão, egotismo. A literatura gestáltica caminhou bastante e fala de nove mecanismos que podemos chamar de defesa, bloqueios, interrupções. Falta, porém, muito para que se saiba a verdadeira natureza desses mecanismos. Pouquíssimas pesquisas têm sido conduzidas no sentido de validar sua existência, de compará-los um com o outro e de colher, na prática, sua utilidade e o modo como eles funcionam na personalidade.

O ciclo do contato, no modelo que apresento, inclui o *ciclo de fatores de cura, como também os bloqueios/interrupções do contato*. Dá-nos uma visão das diversas formas que o contato assume em um processo pleno, com começo, meio e fim, e mostra a dinâmica da polaridade saúde e seus bloqueios. Cada momento do ciclo é visto como passos, como etapas de saúde ou na direção da saúde, definida por nós como a mais completa e plena forma de contato, no sentido de que não estamos falando de tipologia ou de um tipo de pessoa. Esses passos, processos ou etapas que demarcam tempo, movimento, mudança, são chamados indistintamente, na literatura, de fatores de cura, mecanismos de cura ou fatores psicoterapêuticos.

Rica no que diz respeito aos fatores de cura, embora tenha grande dificuldade de defini-los, a literatura chegou a identificar 220 processos, sobretudo na psicoterapia de grupo, os quais poderiam ser chamados de fatores de cura. Existem, no entanto, alguns fatores de cura já universalmente consagrados, como: aceitação, altruísmo, universalidade, *insight*, transferência, interação, catarse, aprendizagem vicária, coesão, autorrevelação (Block e Crouch, 1985).

Ao apresentar esse ciclo, e ao chamá-lo de ciclo de fatores de cura, deixamos uma nomenclatura clássica e universalmente reconhecida para adotar, formalmente, cada passo do ciclo do contato como fatores psicoterapêuticos. Estamos afirmando que, assim como "universalidade", "catarse" ou outros fatores reconhecidamente provocam mudança e, às vezes, cura, também "fluidez", "sensibilização" e outros são considerados por nós na mesma dimensão.

Entendemos que fatores de cura ou fatores psicoterapêuticos, quando ocorrem em psicoterapia, têm alto potencial de provocar mudanças, de alterar comportamentos, de afetar a própria natureza da personalidade. Entendemos também que cada passo do ciclo de contato, quando experienciado plenamente, promove mudanças e predispõe a pessoa para continuar na procura do contato total consigo mesma, no mundo. Entendemos que o ciclo, como um todo, representa a caminhada de "fixação/fluidez" até "confluência/retirada", na qual a pessoa se reviu como ser *no* mundo e ser *do* mundo para uma posição plena de ser *para* o mundo.

Os processos de cura anteriormente referidos têm sido mais estudados na situação de psicoterapia de grupo. Podemos, no entanto, afirmar com certeza que, exceto a coesão grupal, todos os outros mecanismos ocorrem, a seu modo, na psicoterapia individual, com a mesma intensidade e força de transformação. Se pensarmos na "aliança terapêutica", talvez possamos afirmar que a própria "coesão" também ocorra na psicoterapia individual.

Crouch e Block (1985, p. 4) definem fatores de cura como "*um processo individual ou grupal* que contribui para a melhora da condição da pessoa, em dependência direta, às vezes, da ação do próprio cliente e, às vezes, do psicoterapeuta". Embora essa definição seja dos maiores especialistas no tema, penso que não contempla aspectos importantes da natureza da questão.

Para nós, *fator de cura é um processo por meio do qual a pessoa experiencia, individual ou grupalmente, em dado momento, uma sensação de que algo novo, portador de mudança e de bem-estar, penetrou no seu universo cognitivo, e, através de uma consciência emocionada, de uma awareness sensorial, provocadas pela percepção de uma totalidade dinamicamente transformadora, sente-se inclinada, motivada, fortalecida para mudar.*

O fator de cura, como momento maior do contato, do diálogo e da mudança, envolve alguns elementos básicos:

1 *Um universo cognitivo.* Ver, observar e descrever para si a própria realidade facilita uma atenção que interfere no processo de percepção e desenvolve a aptidão para mudar. A pessoa precisa localizar-se na sua relação com o sintoma, sobretudo porque a mudança ocorre em consequência de uma procura interessada, constante e inteligente, pois quando não se procura não se encontra. Supõe ainda envolver-se com as próprias dúvidas, certezas e verdades como partes do próprio cotidiano.
2 *Uma consciência emocionada.* Não basta só o pensar. O pensar com emoção e através da emoção ajuda a se descobrir, a se dar conta de si mesmo, a se localizar na relação organismo/ambiente; juntos, emoção, pensamento e ação têm a força da mudança.
3 *Uma totalidade dinamicamente transformadora. Sensação de experienciar a própria totalidade.* A sensação de totalidade precede a sensação de consciência plena, que, por sua vez, provoca a intencionalidade que predispõe para a mudança, unindo desejo e ação, elementos básicos no processo de transformação.

Mecanismos de cura, como também bloqueios e interrupções do contato, ocorrem tanto nas terapias de grupo quanto nas individuais, porque ambos são processos humanos que fazem parte de nossas idas e vindas à procura de nós mesmos. Nas terapias de grupo, os mecanismos de cura ocorrem como consequência direta da relação da pessoa com os outros participantes do grupo e com seus sintomas. De certo modo, eles ocorrem de um modo independente um do outro.

Nas terapias individuais, eles se dão num processo espaço-temporal, ou seja, dentro de uma lógica de movimento, como uma sequência em que, por causa das funções do *self* e de sua relação com os três sistemas que movem a estrutura da personalidade humana, um, de certo modo, contém o outro. Por exemplo, a *ação* (caminhando na direção do relógio) contém a *mobilização,* a *interação* contém a *ação*, e assim segue. Eles caminham, em conjunto, de tal modo que todos os mecanismos ou processos funcionam em harmonia e na dependência do outro.

Para dar um exemplo de mecanismos de cura, tomemos um dos conceitos mais conhecidos entre os fatores clássicos de cura no processo grupal: a "universalidade". O mecanismo ocorre, acontece, quando esses três elementos se interligam; por exemplo, quando alguém no grupo, ao ver pessoas falando de sua dor, de seu sofrimento, de sua impotência, entende, emocionalmente, que não é a única que sofre/se sente impotente no universo e, a partir daí, sente-se aliviada, esperançosa, com coragem para mudar. Tal sentimento, produtor de mudança, de cura talvez, é o que chamamos de fator de cura.

Cumpre lembrar que os fatores de cura dialogam paralelamente com os bloqueios do contato, embora isso não signifique que um fator de cura só funcione quando seu oposto está atuando no sentido contrário e vice-versa. O paralelo que se estabelece entre eles é prioritariamente didático, no sentido de que um indica o sintoma, o diagnóstico, e o outro indica o processo de prognóstico que se estabelece sempre que nosso organismo, na sua relação organismo/ambiente, entra em desequilíbrio. Pode-se pensar, portanto, tanto um ciclo só de sintomas, de interrupções, como um ciclo só de mudanças no sentido da cura.

O CICLO E SUA DINÂMICA INTERNA

Como dizia Pascal (*apud* Morin, 1990, p. 148-50),

> Considero impossível conhecer as partes, enquanto partes, sem conhecer o todo, mas considero ainda menos possível conhecer o todo sem conhecer *singularmente* as partes. [...] O nosso universo, em que todas as coisas estão separadas no e pelo espaço, é, ao mesmo tempo, um universo em que não há separação.

No ciclo, um processo como *ação* contém o anterior, *mobilização*, e assim por diante, constituindo-se em verdadeiros passos, etapas do processo de mudança, que é o que se espera de uma psicoterapia. Cada uma dessas etapas tem uma energia de mudança própria. Vivenciar profunda e conscientemente cada um desses passos é certamente curativo, porque, ao mesmo tempo, permite à pessoa entrar em contato com seu mecanismo polar do processo de busca. É, muitas vezes, estar entre o desejo e sua negação. Lidar profundamente com a "mobilização", por exemplo, é tocar profundamente nos processos que constituem a introjeção e o introjetor. Considerando que saúde é contato pleno consigo e com o mundo, poder vivenciar cada um desses momentos de maneira clara e profunda é certamente facilitar o processo de mudança e de cura. "Sistema quer dizer associação combinatória de elementos diferentes. [...] Logicamente, o sistema só pode ser compreendido incluindo-se nele o meio, que lhe é simultaneamente íntimo e estranho e faz parte dele próprio, sendo-lhe sempre exterior" (Morin, 1990, p. 30-33).

Introduzo agora o modelo que está na essência do que entendo por holografia no contexto da psicoterapia, cujo processo

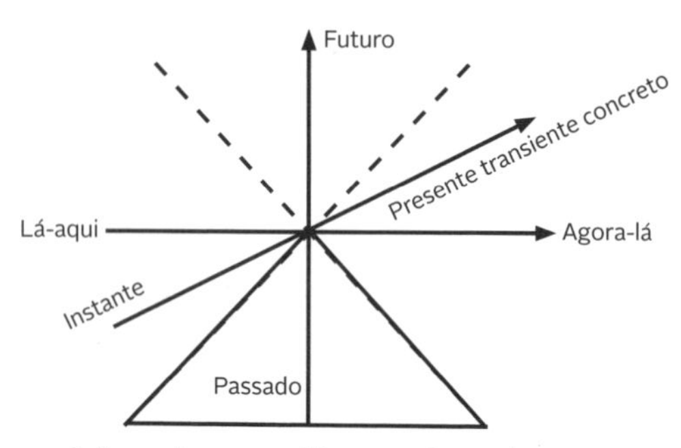

Figura 11 – Lá-aqui-agora-lá: uma Gestalt espaçotemporal

ocorre no agora, quando não se sabe o que é tempo nem o que é lugar, pois ambos se fundem no instante. Qualquer tentativa de saber onde estamos nos transporta para além do instante e perdemos a correlação entre informação e organização que ocorre a partir de uma entrega cliente-terapeuta.

Dizia Albert Einstein que "o tempo não é o que parece ser: ele não flui numa única direção, e o futuro existe em simultaneidade com o passado". Já para Perls, Hefferline e Goodman (1997, p. 18), "é provável que a experiência metafísica do tempo seja primordialmente uma leitura do funcionamento do *self* [...] à medida em que ele entra em contato com a realidade".

Tais citações nos remetem diretamente à ideia de que tempo e espaço convivem intrínseca, essencial e ontologicamente, formando o espaço-tempo, que se chama de realidade. Temos discutido longamente sobre a natureza do tempo e nos esquecemos de que espaço-tempo são uma unidade ontológica, ou seja, um não existe sem o outro. A espacialidade é quase clandestina nas nossas falas.

O *self*, portanto, definido como um sistema de contato, é essencialmente espaço-tempo e, como tal, sua visibilidade espacial emana de sua realidade quantitativa, visível, "resposta motora no campo"; já sua invisibilidade temporal emana de sua realidade qualitativa, invisível, nascida da interação transcendental organismo-ambiente. O *self*, ao mesmo tempo que é um sistema de contatos, amplia essa característica para ser simplesmente, ontologicamente, uma totalidade/realidade acontecendo. A experiência humana do espaço e do tempo se transforma na vivência não consciente do espaço-tempo.

Essa reflexão me parece fundamental a esta altura de nossas reflexões sobre o ciclo do contato. O ciclo é espaço-tempo, quantidade-qualidade, visibilidade-invisibilidade, mobilidade-imobilidade, movimento ontológico, caracterizado pelo que se dá na fronteira organismo-ambiente, "incluindo apetite e rejeição, aproximar e evitar, perceber, sentir, manipular, avaliar, comunicar, lutar etc., e todo tipo de relação viva [...]" (Perls, Hefferline e Goodman *apud* Robine, p. 59). Isso se chama movimento em forma de espaço-tempo.

> Na física moderna, há um princípio que afirma ser impossível saber o "tempo" de alguma coisa e o "lugar" dessa mesma coisa ao mesmo tempo. Se calcularmos onde alguma coisa está, perdemos as informações sobre a sua velocidade. Se medirmos a sua velocidade, não poderemos saber com certeza onde isso está. O instante se encontra com o aqui-agora na encruzilhada em que também o passado caminha na direção do futuro. (Braden, 2000, p. 81-82)

Se o presente é uma passagem do passado para o futuro, ou seja, passado e futuro se fundem no instante, vou além dizendo que no ciclo holográfico do contato fixação se funde com fluidez, introjeção se funde com mobilização e assim por diante. Temos, então, um instante único em que todo o ciclo se reencontra, se funde com o *self*, sistema de contatos acontecendo na experiência metafísica do espaço-tempo.

> O presente é uma passagem do passado em direção ao futuro e esses tempos são etapas de um ato do *self* à medida em que entra em contato com a realidade (é provável que a experiência metafísica do tempo seja primordialmente uma leitura do funcionamento do *self*). É importante observar que a realidade com a qual se entra em contato não é uma condição "objetiva" imutável que é apropriada, mas uma potencialidade que, no contato, se torna concreta. (Perls, Hefferline e Goodman, 1997, p. 180)

A metafísica é o estudo do que é. A experiência, ao mesmo tempo que é, também está. O é fixa a realidade, tem que ver com espacialidade; o *está* indica abertura, movimento, se abre para o tempo, tem relação com temporalidade. O *self*, metafisicamente, é, operacionalmente, está. A experiência é, portanto, um perene movimento entre o ser e o estar, entre a imanência e a transcendência, entre o aqui e o agora (Figura 12).

O ciclo é um sistema, um modelo em movimento, o que faz que a relação espaço-tempo seja dimensão presente e transformadora em todo o processo de mudança. O ciclo holográfico do contato é composto de etapas progressivas de ajustamento criativo funcional e de engajamento espaçotemporal na experiência de estar vivo.

O ciclo holográfico é estruturalmente mudança; nele tudo muda, tudo diz respeito a tudo e tudo é um. Tudo está em movimento, em estado de mudança. O "todo" é livre, dinâmico, orgânico, evolutivo, criativo, autoativo, automovente.

O ciclo do contato

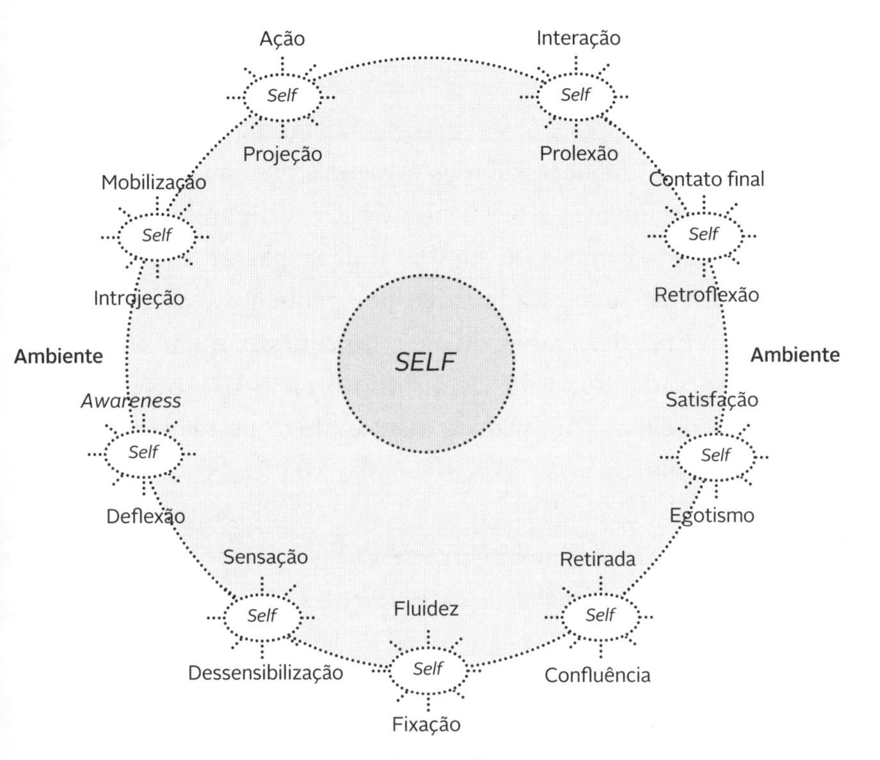

Figura 12 – Ciclo holográfico do contato

A ideia do ciclo como um modelo psicoterapêutico passa pela compreensão de que o processo da saúde ou da cura tem uma lógica, uma sequência na qual uma coisa depende da outra, tudo está correlacionado e tudo afeta tudo. Nenhuma pessoa está em um único ponto no ciclo do contato. Está em todos, sendo que um deles é seu carro-chefe, seja na direção de uma mudança saudável, quem sabe uma cura, seja na direção dos bloqueios. Em cada ponto do ciclo todo o ciclo se repete, cada ponto no ciclo está conectado com todas as outras etapas do ciclo e todo o ciclo está conectado a cada uma de suas etapas respectivamente. A pessoa, no entanto, está, habitualmente, mais em um do que em outro ponto do ciclo, por isso dizemos que alguém é, nesse agora, mais tipicamente introjetor do que, por exemplo, confluente.

O ciclo é um "todo" e funciona assim como as leis que regem os "todos". Como em um holograma, o todo contém as partes e as partes contêm o todo, e tudo está ligado a tudo. Todas as partes estão ligadas entre si e todas estão ligadas ao todo enquanto todo, e o todo está ligado a cada uma de suas partes. O ciclo se repete em cada uma de suas etapas, destacando-se, porém, um processo como figura e os outros como fundo. As necessidades presentes no contato determinam o movimento, a permeabilidade e a dinâmica de intercâmbio de ser figura ou fundo ou de se passar da figura ao fundo e vice-versa. Cada traço nos pequenos ciclos corresponde a uma das etapas do ciclo do contato, o que significa que, em cada etapa do ciclo, todo o ciclo se repete. Cada ponto do ciclo é um processo em diálogo permanente com todos os outros.

> O princípio da autoeco-organização tem valor hologramático: assim como a qualidade da imagem hologramática está ligada ao fato de que cada ponto possui a quase totalidade da informação do todo, assim, de uma certa maneira, o todo enquanto todo de que fazemos parte está presente no nosso espírito. A visão simplificada diria: a parte está no todo. A visão complexa diz: não apenas a parte está no todo; o todo está no interior da parte que está no interior do todo! Esta complexidade é algo diferente da confusão de que tudo está em tudo e reciprocamente. (Morin, 1990, p. 128)

Alguns pontos do ciclo, isto é, o lugar onde o fator de cura se encontra com seu oposto, formam ora uma polaridade, como "fluidez/fixação", ora processos em exclusão e/ou complementares, como "mobilização/introjeção". Nem "mobilização" nem "introjeção" existem por si sós, isoladamente, porque são momentos inter-relacionais. Esses processos não têm uma característica de independência total. Introjeção, por exemplo, tem muito que ver com confluência, enquanto o confluente é um introjetor camuflado, que por sua vez tem muito que ver com fixação, no sentido de que a pessoa fixada está confluindo compulsivamente com a não distinção entre desejo e realidade, e proflexão, que termina gerando uma acomodação entre duas pessoas pela dificuldade de lidar com a diferença – e assim por diante. Nenhum desses mecanismos de interrupção ou de ajustamento criativo (a interrupção pode ser um ajustamento criativo disfuncional) funciona autônomo e isolado. Em algum lugar eles se encontram. Dizemos o mesmo dos processos de cura. Quando estamos em "ação", passamos certamente antes pelos mecanismos que a antecedem desde a "retirada". Um contém os outros.

Em cada ponto do ciclo o ciclo inteiro se repete, no sentido de que nenhum gesto pode ser visto ou ocorre isoladamente. Se alguém é "introjetor" como figura, experienciará os outros possíveis mecanismos como fundo. Com cada ponto dos fatores de cura ocorre a mesma coisa; aquele que é figura contém todos os outros como fundo.

Cada processo de interrupção ou bloqueio do contato, bem como cada fator de cura contém parte do outro, o que não nos impede de defini-los como polares na qualidade de processos em oposição e, às vezes, em exclusão e/ou em complementaridade. Tal distinção os torna mais claros, mais definidos, os especifica e lhes dá identidade própria, enquanto um passa a ser definido pelo outro, ressalvadas suas especificidades. Esse fato ajuda a clarear o próprio processo de mudança, que deixa de ser algo aleatório para ser algo mais consistente, pertinente e, até certo ponto, programável, porque as etapas do processo podem ser mais facilmente visualizadas.

MECANISMOS DE INTERRUPÇÃO E BLOQUEIOS DO CONTATO

"Queremos expor agora a ideia de que os diferentes mecanismos e 'caracteres' do comportamento neurótico podem ser observados como sendo etapas de ajustamento criativo nas quais o excitamento é interrompido" (Perls, Hefferline e Goodman, 1997, p. 249).

Quando dizemos etapas do ajustamento criativo, estamos afirmando que todos os "caracteres" do ciclo de contatos estão em movimento; que, no ciclo, nada é fixado, preso; e que não só cada ponto do ciclo está em movimento, à procura de ajustamento, mas que cada ponto do ciclo, cada etapa, está em movimento com relação a todos os outros pontos; e que todos os outros pontos, no seu conjunto, estão em ligação com cada ponto ou etapa do ciclo. O ciclo funciona como um holograma, no qual tudo está em movimento, espaço-tempo em dinâmico processo de inter e intraconexão, cada etapa está ligada a todas as outras e todas as outras estão ligadas a cada etapa singularmente.

Por uma questão didática, assim como fiz com o ciclo da saúde, separo agora os dois processos, os de interrupção do contato e os mecanismos de saúde, de tal modo que possamos visualizar melhor os mecanismos de interrupção do contato, seus sistemas e funções do *self*.

Esse ciclo apresenta os nove processos que defino como ajustamentos criativos disfuncionais, bloqueios e/ou interrupções do contato: fixação, dessensibilização, deflexão, introjeção, projeção, interação, retroflexão, egotismo e confluência (Figura 13).

Figura 13 – Ciclo dos bloqueios e interrupções do contato

Fixação ("Parei de existir"): processo pelo qual me apego excessivamente a pessoas, ideias ou coisas e, temendo surpresas diante do novo e da realidade, sinto-me incapaz de explorar situações que flutuem rapidamente, permanecendo fixado em coisas e emoções sem verificar as vantagens de tal situação. Tenho medo de correr riscos.

Dessensibilização ("Não sei se existo"): processo pelo qual me sinto entorpecido, frio diante de um contato, com dificuldade de me estimular. Sinto uma diminuição sensorial no corpo, não diferenciando estímulos externos e perdendo o interesse por sensações novas e mais intensas.

Deflexão ("Nem ele nem eu existimos"): processo por meio do qual evito contato pelos meus vários sentidos ou faço isso de maneira vaga e geral, desperdiço minha energia na relação com o outro, usando um contato indireto, palavreado vago, excessivo ou polido demais, sem ir diretamente ao assunto.

Sinto-me apagado, incompreendido, pouco valorizado, afirmando que nada dá certo em minha vida. Nunca sei por que as coisas me acontecem como acontecem.

Introjeção ("Ele existe, eu não"): processo pelo qual obedeço e aceito opiniões arbitrárias, normas e valores que pertencem a outros, engolindo coisas sem querer e sem conseguir defender meus direitos por medo da minha agressividade e da agressividade dos outros. Desejo mudar, mas temo minha mudança, preferindo a rotina, simplificações e situações facilmente controláveis. Penso que as pessoas sabem melhor do que eu o que é bom para mim. Gosto de ser mimado.

Projeção ("Eu existo, o outro eu crio"): processo pelo qual eu, tendo dificuldade de identificar o que é meu, atribuo aos outros, ao mau tempo, coisas de que não gosto em mim, bem como a responsabilidade pelos meus fracassos, desconfiando de todo mundo como prováveis inimigos. Sinto-me ameaçado pelo mundo em geral, pensando demais antes de agir, identificando facilmente nos outros dificuldades e defeitos semelhantes aos meus. Tendo dificuldade de assumir responsabilidade pelo que faço, gosto que os outros façam as coisas no meu lugar.

Proflexão ("Eu existi nele"): processo pelo qual desejo que os outros sejam como eu desejo que eles sejam, ou desejo que eles sejam como eu mesmo sou, manipulando-os a fim de receber deles aquilo de que preciso, seja fazendo o que gostam, seja submetendo-me passivamente a eles, sempre na esperança de ter algo em troca. Tenho dificuldade de me reconhecer como minha própria fonte de nutrição e lamento profundamente a ausência do contato externo e a dificuldade do outro de satisfazer minhas necessidades.

Retroflexão ("Ele existe em mim"): processo por meio do qual desejo ser como os outros desejam que eu seja, ou desejo que eu seja como eles próprios são, dirigindo para mim mesmo a energia que deveria dirigir a outrem. Arrependo-me com facilidade por me considerar inadequado nas coisas que faço, por isso as faço e refaço várias vezes, para não me sentir culpado depois. Gosto de estar sempre ocupado e acredito poder fazer melhor as coisas sozinho do que com a ajuda dos outros. Deixo de fazer coisas com medo de ferir e ser ferido. Sinto, muitas vezes, que sou inimigo de mim mesmo. Manda para o corpo dores de fora, adoece com o sofrimento do outro, fica calado para não criar caso e paga o preço.

Egotismo ("Eu existo, eles não"): processo pelo qual me coloco sempre como o centro das coisas, exercendo um controle rígido e excessivo no mundo fora de mim, pensando em todas as possibilidades para prevenir futuros fracassos ou possíveis surpresas. Imponho tanto minha vontade e meus desejos que deixo de prestar atenção ao meio à minha volta, usufruindo pouco e sem vibração o resultado de minhas manipulações. Tenho muita dificuldade de dar e de receber.

Confluência ("Nós existimos, eu não"): processo pelo qual me ligo fortemente aos outros sem diferenciar o que é meu do que é deles; diminuo as diferenças para sentir-me melhor e semelhante aos demais e, embora com sofrimento, termino obedecendo a valores e atitude da sociedade ou dos pais. Gosto de agradar aos outros, mesmo não tendo sido solicitado. Temendo o isolamento, amo estar em grupo, agarrando-me firmemente aos outros, ao antigo, aceitando até que decidam por mim coisas que me desagradam.

Para uma melhor visualização, apresento, a seguir, ambos os processos, primeiro a interrupção, depois o mecanismo de cura.

Como já foi dito, não estamos trabalhando com uma tipologia estrutural. Podemos chamar o seguinte modelo ou metodologia de tipologia processual. Estamos trabalhando com o ciclo dentro de uma visão holográfica, espacial-temporal, na perspectiva de Perls, Hefferline e Goodman. Cada etapa do ciclo, seja ela de cura ou de interrupção, conecta-se com todos os outros mecanismos de cura e de interrupção. Cada fator de cura, por sua vez, está conectado com todos os outros fatores de cura e com todas interrupções do contato, bem como cada bloqueio ou interrupção está conectado com cada um de todos os fatores de cura e com todos os outros mecanismos de bloqueio ou interrupção do contato.

Não estamos falando de um tipo de sintoma que é comparticipado por outras pessoas, mas de uma pessoa que, nesse aqui-agora, sofre as consequências de um bloqueio ou interrupção do contato e igualmente, ao se olhar do ponto de vista psicoterapêutico, experiencia, ao mesmo tempo, um mecanismo de cura que pode ajudá-la a resolver, nesse aqui-agora, suas dificuldades existenciais. Estamos apresentando um modelo que nos permite visualizar um processo psicodiagnóstico a partir de três variáveis que emanam diretamente do conceito de contato dentro de uma visão de campo com a relação organismo-meio.

Podemos resumir esses momentos de interrupção e seus "caracteres" no esquema seguinte:

- O: agressão com relação ao organismo;
- E: agressão com relação ao ambiente;

- S: a satisfação direta possível na fixação". (Perls, Hefferline e Goodman, 1997, p. 258)

Fixação ("Parei de existir."): processo pelo qual me apego excessivamente a pessoas, ideias ou coisas e, temendo surpresas diante do novo e da realidade, sinto-me incapaz de explorar situações que flutuem rapidamente, permanecendo fixado em coisas e emoções sem verificar as vantagens de tal situação. Tenho medo de correr riscos.

Apego excessivo a coisas e ideias, dificuldade de lidar com o diferente, certezas provisórias viram verdades sólidas, dificuldade de lidar com a noção de tempo, decisões abruptas, sem olhar as consequências, medo do risco, medo de perder o controle, não consegue se soltar. Transtorno misto de ansiedade e depressão (Perls, Hefferline e Goodman, 1997).

- O: energia em desajuste, interrupção e imobilização da relação, retenção da emoção.
- E: temor do outro, perda da esperança. Dificuldade de distinguir figura e fundo.
- S: o outro ignorado, relação falsa. Tempo e espaço em confluência disfuncional.

Fluidez: processo pelo qual me movimento, localizo-me no tempo e no espaço, deixo posições antigas, renovo-me, sinto-me mais solto e espontâneo e com vontade de criar e recriar minha vida. Assim como a fixação é ruptura de contato, a fluidez é abertura, é disponibilidade para o diferente, para o novo.

Tento conviver com emoções diferentes, com riscos, ainda que menos ameaçadores; percebo o diferente com menos estranheza; dou-me conta de energias novas, estou mais atento na relação com o outro, na postura organismo-ambiente, sinto que o movimento é o melhor caminho para a mudança.

Dessensibilização ("Não sei se me sinto/sinto que não sei"): processo por meio do qual minimizo as sensações, sinto--me entorpecido, frio diante de um contato, com dificuldade de me estimular. Sinto uma diminuição ou evitação sensorial no corpo, não diferenciando estímulos externos e perdendo o interesse por contatos e sensações novas e mais intensas.

Bloqueio meus estímulos intrapsíquicos quando deparo com o diferente a partir de dentro. Evito experienciar, sensória e afetivamente, a mim mesmo ou ao ambiente. Percebo-me inativo, sem esperança, sinto-me não reflexivo, anestesiado e meio morto. Meus sentimentos e sensações são diluídos, desconsiderados e até negligenciados. A existência da dor ou do desconforto é tomada como emergindo como figura em vários graus (conferir Clarkson, 1989, p. 51).

- O: entorpecimento. Sensação de "não existo" e afetos negados. Indiferença emocional. Excitação reprimida. Negação deflexiva, salvadora no âmbito sensório-afetivo.
- E: distanciamento e ignorância em relação ao ambiente, energia ambígua e deslocada.
- S: alucinação, delírio em reajuste. Consciência de nada. Experiência em nevoeiro. Sensação de vazio. Negação da vivência sensório-afetiva, não me dou conta de mim mesmo. Esquizofrenia.

Sensação: processo pelo qual me sinto saindo de um estado de frieza emocional e mais aberto sensorialmente ao contato, dando-me conta do meu corpo, da minha pele e, de certo modo, percebendo melhor meu corpo por dentro; sinto melhor a mim mesmo e às coisas, estou mais atento aos sinais que meu corpo me manda ou produz, sinto e até procuro novos estímulos.

Procuro não olhar o outro como algo ameaçador, dou-me conta de que a experiência sentida facilita encontrar soluções, sinto que ser tocado pelo outro ajuda a melhorar a percepção do próprio corpo; o outro, humano e não humano, na verdade, mais que um problema, pode ser uma solução.

Deflexão (Não consigo me dar conta, não sei...): implica negação do instante em que se está. Nem ele nem eu existimos agora. Processo por meio do qual nego cognitivamente a experiência em curso, evitando pensar no que está acontecendo, evitando o contato pelos meus vários sentidos ou fazendo isso de maneira vaga e geral, desperdiçando minha energia na relação com o outro, usando um contato indireto, palavreado vago, inexpressivo ou polido demais, sem ir diretamente ao assunto. Sinto-me apagado, incompreendido, pouco valorizado, afirmando que nada dá certo em minha vida e sem saber por que as coisas me acontecem como acontecem.

Uso uma linguagem estereotipada, apego-me ao passado mais que ao presente, evito o impacto da significação da realidade, do que esteja acontecendo, fico ligado a possibilidades, a experiência de mim mesmo é vivida como indiferente, inútil, ignoro o outro, falo "sobre" e não "para", nada dá certo, percebo de maneira vaga o ambiente e os sentimentos incipientes que me conectam na relação organismo-ambiente (conferir Clarkson, 1989, p. 51).

- **O**: perda da diferença, desajustamento criativo.

- E: relação organismo-ambiente é desfigurada. Negação do outro pela fuga do que está acontecendo agora.
- S: negação salvadora no âmbito cognitivo, contato apagado.

Awareness: processo pelo qual me dou conta de mim mesmo de maneira mais clara e reflexiva. Estou mais atento ao que ocorre à minha volta, percebo-me relacionando com mais reciprocidade com pessoas e coisas.

Tento me concentrar no dado, no que está acontecendo aqui-agora. Procuro viver e *com-viver* com o outro a partir dele. Tento perceber que fugir do outro ou de mim mesmo é um caminho mais longo. Procuro me localizar corretamente na minha relação com o outro; busco entender o presente como o lugar onde passado e futuro se encontram, e vivenciá-lo como a melhor opção.

Introjeção ("Ele existe, eu não): [...] Algo do ambiente dentro do organismo [...] não aceita a excitação" (Perls, Hefferline e Goodman, 1997, p. 258-63). Processo pelo qual obedeço e aceito opiniões arbitrárias, normas e valores que pertencem a outros, engolindo coisas sem querer e sem conseguir defender meus direitos por medo da minha agressividade e da agressividade dos outros. Permito-me ser governado pelos "deves" internalizados. Desejo mudar, mas temo minha mudança, preferindo a rotina, simplificações e situações que são facilmente controláveis. Penso que as pessoas sabem melhor do que eu o que é bom para mim. Gosto de ser mimado. (Pelo fato de se sentir inferiorizado, o fato de ser mimado dá ao introjetor a sensação de estar sendo aceito.)

Experiencio, no meu cotidiano, uma assimilação patológica com o outro, uma indigestão fisiológica, isto é, engulo sem mastigar, não distingo em mim o que é figura ou fundo, nego e não aceito a excitação, gosto de ser admirado, de valorizar o outro mais do que a mim mesmo, sou prisioneiro da culpa, da raiva, da mágoa, do medo (Polster e Polster, 2001).

Não aceito a excitação. Interrompo-me durante a excitação e, para evitar o crime do não pertencimento, evito o desejo; paradoxalmente, o ambiente odiado, aniquilado é também aceito, e também engolido por inteiro e suprimido; faço acordos com o apetite frustrado e inverto o afeto antes que possa reconhecê-lo. Mordo a coisa sem degustá-la nem a mastigar. Identifico-me com os padrões do ambiente e alieno os padrões que são meus. Aceito posições até mesmo contrárias a mim ou ao que eu penso; masoquisticamente, fico ansioso por ser refutado e sinto uma satisfação secundária em ver minha autoridade interior não reconhecida.

O masoquismo é a possibilidade de um ajustamento criativo. Infligimos dor a nós mesmos, aprovamos nossas falsas identidades. A pelve é retraída, é infantil e condescendente. Maxilares forçados, respiração contida. Depressão (Perls, Hefferline e Goodman, 1997).

- O: inversão do afeto.
- E: resignação (aniquilação por identificação).
- S: masoquismo.

Mobilização: processo pelo qual me movimento efetivamente na direção de minha mudança, aproprio-me da necessidade de mudar e me programo para fazê-lo. Fico mais atento para exigir meus direitos, separar minhas coisas das dos outros, sair da rotina, expressar meus sentimentos exatamente como sinto, não ter medo de ser diferente.

Entendo que não mudo o passado, mas posso ressignificá-lo, entendo que não morro quando faço opção por mim; antes, ressurjo, faço do outro minha opção secundária, entendo que eu devo ser minha primeira opção, acredito que só sou, de fato, respeitado, quando me torno minha própria e primeira opção.

Projeção ("Eu existo, o outro eu crio"): algo do ambiente dentro do organismo [...] não aceita a excitação". Processo pelo qual eu, tendo dificuldade de identificar o que é meu, atribuo aos outros, ao mau tempo, a responsabilidade pelos meus fracassos, desconfiando de todo mundo como prováveis inimigos. Sinto-me ameaçado pelo mundo em geral, pensando demais antes de agir e identificando facilmente nos outros dificuldades e defeitos semelhantes aos meus. Tendo dificuldade de assumir responsabilidade pelo que faço, gosto que os outros façam as coisas no meu lugar.

Sou criativo a partir do nada, frequentemente ajo sem um destino certo, emociono-me sem motivo, intuo facilmente a realidade à minha volta. Sinto ao confrontar a realidade e não o faço. Recuso afeto, emoção e sentimentos sem saber por quê, torno um objeto amedrontador com facilidade, não consigo relaxar e sair da censura, não me percebo estar correndo riscos, não gosto de ser observado.

Deixo-me excitar, mas não me aproximo. Excitação aceita, vivo um confronto e uma emoção que não surgem do objeto em questão; atribuo ao ambiente, ao "ar" o que é dirigido a mim ou contra mim. Desejo intensamente aproximação e contato, mas como não consigo, tento que o outro me dê o que não consigo obter, porque me movo, me movimento de tocaia, em silêncio, amuado; se o outro interpreta um sinal que parte mim, entro em ansiedade. Excluo o ambiente, inibo minhas faculdades motoras, exponho-me passivamente às emoções. No momento em que minhas fantasias poderiam dar resultado as sufoco, atribuindo isso à ansiedade e ao perigo. Tenho pensamentos positivos com relação a planos exagerados e projetos futuros. Não relaxo, músculos rígidos, sofro na razão em que as imagens são atrativas (Perls, Hefferline e Goodman, 1997).

- O: repudiar a emoção.
- E: provocação passiva.
- S: fantasia (ruminar). Conversão histérica e processos paranoides e psicopatias (*ibidem*).

Ação: processo pelo qual expresso mais confiança nos outros, assumo responsabilidades pelos meus atos, identifico em mim mesmo as razões de meus problemas, ajo em nome próprio sem medo da minha ansiedade.

Procuro conviver com o diferente de maneira mais natural. Tento me aproximar do outro sem perder o contato com ele. Procuro sentir que meus gestos e atitudes são de minha responsabilidade. Busco não exagerar situações cujos efeitos não percebo claramente. Tento, na medida do possível, fazer aquilo que acredito não ser capaz de fazer.

Proflexão ("Eu existo nele"): "Atenção centrada no futuro, o futuro como ponto de referência para questões do agora". Faço com o outro o que eu gostaria que ele fizesse comigo ou faço comigo o que gostaria de fazer ao outro. Processo pelo qual desejo que os outros sejam como eu desejo que eles sejam, ou desejo que eles sejam como eu mesmo sou, manipulando-os a fim de receber deles aquilo de que preciso, seja fazendo o que eles gostam, seja submetendo-me passivamente a eles, sempre na esperança de ter algo em troca. Tenho dificuldade de me reconhecer como minha própria fonte de nutrição, lamento profundamente a ausência do contato externo e a dificuldade do outro de satisfazer minhas necessidades.

A proflexão apresenta ainda alguns complexos sintomas, como distúrbios de fronteira e de limite, isto é, dificuldade de perceber o que é meu e o que é do outro; identificação disfuncional com o outro e/ou dualidade funcional, esperando do outro o que ele não prometeu; confusão entre estrutura, função e forma, esquecendo-me de que as aparências não enganam, apenas não revelam tudo; confusão com autoimagem/fronteira do ego, tentando um ajustamento neurótico. Reação de ajustamento por dependência (conferir Crocker, 1988).

- O: confusão de identidade. Fantasia de que se está relacionando e não está, negação do encontro, negação do contato.
- E: o outro como o outro, de fato, não existe.
- S: Relação pessoa/isso. Relação objetivada.

Interação: processo pelo qual me aproximo do outro sem esperar nada em troca. A interação está baseada num conceito de liberdade, numa atitude de opção por si mesmo antes que pelo outro, porque o retorno que uma ação pode provocar não está contido na atitude de ir. Ajo de igual para igual, dou pelo prazer de dar, convivo com as necessidades do outro sem esperar retribuição, sinto que estar e relacionar-me com o outro me ajuda a me perceber como pessoa.

Tento perceber que o outro não é uma solução, apenas um caminho. Percebo que o outro não é um objeto de negociação, mas de diálogo, que é preciso manter as diferenças e que não posso esperar nada dele a não ser falando com ele, sabendo onde ele de fato está.

Retroflexão ("Ele existe em mim"): "Atenção centrada no passado, o passado como ponto de referência para questões do agora" [...] "evitar o conflito e evitar destruir [...] não tem ninguém para culpar, a não ser a si mesmo [...] "parte do organismo transformou-se no ambiente de outra parte do organismo" (Perls, Hefferline e Goodman, 1997, p. 258-63). Esse mecanismo pode ser descrito assim: faço comigo o que eu gostaria de fazer ao outro ou faço comigo o que gostaria que o outro me fizesse. Processo por meio do qual desejo ser como os outros desejam que eu seja, ou desejo que eu seja como eles próprios são, dirigindo para mim mesmo a energia que deveria dirigir a outrem. Arrependo-me com facilidade por me considerar inadequado nas coisas que faço, por isso as faço e refaço várias vezes, para não me sentir culpado depois. Gosto de estar sempre ocupado e acredito poder fazer melhor as coisas sozinho do que com a ajuda dos outros. Deixo de fazer coisas com medo de ferir e ser ferido. Sinto, muitas vezes, que sou inimigo de mim mesmo.

Autoagressão, automutilação, autocensura, evitação da ansiedade, da agressão, ação voltada para objetos disponíveis. Evita o conflito e evita destruir. Não culpa o outro, mas a si mesmo. Tudo está dando certo e ele tem de interromper por medo de se ferir, destruir, ser ferido. As energias comprometidas se voltam contra ele. Desmantela o passado, revisando o mesmo material diversas vezes, arrepende-se de ter invadido o passado. Só pensa em si e acaba com as energias que o mobilizaram. Se sente medo, tortura seu corpo e produz doenças psicossomáticas. Quando está envolvido em algo, trabalha inconscientemente para o fracasso da obra. Para não machucar os outros, sobretudo pessoas queridas, volta-se contra si mesmo. Não sente prazer, mas remorso. Se está no controle ou muito ocupado, sente-se satisfeito. Tem ideias e planos legais e trabalha com muita seriedade, mas se desconcerta, sente timidez, medo – e aí se interrompe antes mesmo de colocar seu plano em ação. Vivência sádico-anal, sadismo introjetivo e um masoquismo sentido (Perls, Hefferline e Goodman, 1997).

- O: desmantelamento obsessivo. A pessoa percebe que está tudo errado, mas insiste em ir em frente. Centrada nela, não observa os dados de realidade.
- E: autodestrutividade, aquisição secundária de doença.
- S: sadismo ativo, ficar sempre ocupado (*ibidem*).

Contato final (ser feliz sem culpa): processo pelo qual usufruo agora do que o agora me pode dar, sinto a mim mesmo como minha própria fonte de prazer, nutro-me do que quero sem intermediários, relacionando-me com as pessoas de maneira direta e clara e uso minha energia para usufruir com os outros o prazer do momento.

Procuro encarar o amor, a dor, a raiva diretamente, tentando não me deixar levar pelo medo de ferir ou de ser ferido. Tento encarar a realidade assim como ela é, sobretudo quando recrio fantasias sobre algo inatingível. Tento olhar meu passado não a partir do passado, mas a partir do futuro, o qual recebe do passado a sabedoria que o presente ainda não me pode proporcionar.

EGOTISMO ("Eu existo, eles não"): "Entravar a espontaneidade [...] ele entende tudo perfeitamente [...] o organismo está, em grande medida isolado do ambiente [...] isolamento tanto do id quanto do ambiente" (Perls, Hefferline e Goodman, 1997, p. 258-63). Processo pelo qual me coloco sempre como o centro das coisas, exercendo um controle rígido e excessivo no mundo fora de mim, pensando em todas as possibilidades para prevenir futuros fracassos ou possíveis surpresas. Imponho tanto minha vontade e meus desejos que deixo de prestar atenção ao meio à minha volta, usufruindo pouco e sem vibração o resultado de minhas manipulações. Tenho muita dificuldade de dar e de receber.

Insegurança, ceticismo, dificuldade de relaxar o controle, controle não controlado, entravar a espontaneidade, envolvimento negado, redução da espontaneidade, narcisismo. Quando tudo está pronto, inicia-se o controle e a vigilância e impede-se o comportamento que levaria ao crescimento, por exemplo: deixa de fazer ou abandona o que o momento exige. Ou seja, perde-se a espontaneidade para se garantir que as possibilidades (de fundo) estão esgotadas, porque não quer se comprometer. Perde-se o contato. O egotismo é ativo com coisas complexas, de longa maturação; de outro lado, trabalha para que o que vai acontecer não aconteça. O egotismo é hesitante, cético, obtuso. Caminha na tentativa de aniquilar o incontrolável, o surpreendente. Não interessa o processo em andamento, o objetivo é evitar a frustração. Por exemplo: se mantém a ereção, o orgasmo não ocorre. Ou seja, o egotismo é a fixação no prazer e não no término de qualquer coisa procurada. Sensação de poder, de que "consegue". Satisfação da vaidade, misturada com confusão e abandono. Evita as surpresas do ambiente, tem medo de competição. Isola-se como se isso fosse a única saída, mas tem a sensação de que está no comando. É um acumulador: isso lhe dá a sensação de domínio, controle. Não convive com o ambiente, nada o alimenta, não cresce nem muda, é enfadado e solitário. Gosta de distinguir, separar cada coisa no seu lugar, fica vaidoso de si e despreza os outros. É visto como uma pessoa autônoma, bem ajustada, modesta e prestativa. Acha seus problemas mais envolventes do que o resto das coisas, perde a espontaneidade e não corre o risco do desconhecido – e assim fica fixado no seu egotismo (Perls, Hefferline e Goodman, 1997).

- O: fixação (abstração).
- E: exclusão, isolamento do *self*.
- S: dividir para não perder, vaidade *negada* (*ibidem*).

Satisfação: processo pelo qual procuro que minhas ações me transportem para onde elas possam, de fato, ser vividas. Vejo também que o mundo é composto de pessoas, que o outro pode ser fonte de contato nutritivo, que o prazer e a vida podem ser codivididos, que pensar em possibilidades é pensar em crescimento, que é possível desfrutar compartilhando e que o mundo fora de nós pode ser fonte de prazer.

Fico feliz quando vou na direção do outro, embora não tenha conseguido chegar até ele. Começo a perceber que o outro pode, muitas vezes, caminhar comigo a mesma estrada e que, juntos, podemos ganhar mais, usufruir mais do que sozinhos.

Confluência ("Nós existimos, eu não"): "não há nenhum contato com a excitação ou o estímulo [...] identidade entre o organismo e o ambiente" (Perls, Hefferline e Goodman, 1997, p. 258). Processo pelo qual me ligo fortemente aos outros sem diferenciar o que é meu do que é deles; diminuo as diferenças para me sentir melhor e semelhante aos demais, obedeço e sigo valores que não são meus para me sentir dentro da multidão e, embora com sofrimento, termino obedecendo a valores e atitudes da sociedade ou dos pais. Gosto de agradar aos outros, mesmo não tendo sido solicitado. Temendo o isolamento, amo estar em grupo, agarrando-me firmemente aos outros, ao antigo, aceitando até que decidam por mim coisas que me desagradam.

Ausência de relaxamento e da censura, ausência de risco. Doença da experiência, porque paradoxalmente a pessoa não aprende com a experiência, esta não lhe ensina pela dificuldade de diferenciar a relação figura-fundo, não há nenhum contato com a excitação ou com o estímulo, está cansado de fazer, negação do esforço. A consciência é reduzida a nada, por isso garante a continuidade da experiência. A confluência ameaçada produz angústia e impede a emergência de uma nova excitação; apego a situações antigas, estado de dependência, pede que outros façam o que ele deveria fazer; não sente nada, a espera é ansiosa, a união dos elementos é malfeita, caótica; mistura da relação figura-fundo, embora não da relação sujeito-objeto; apegamento à inconsciência, pouca satisfação no apego, embora dê segurança na relação; medo do novo, indiferença com o antigo; medo de perder a confluência consolidada (desmame); hipocondria; controle ferrenho nas relações interpessoais; paralisia muscular que impede a sensação. Estamos sempre em confluência com tudo aquilo que é fundamental: comunidade, família (Perls, Hefferline e Goodman, 1997).

- O: apego, mordida persistente.
- E: paralisia e hostilidade dessensibilizada.
- S: histeria, regressão (*ibidem*).

Retirada: processo pelo qual saio das coisas no momento em que sinto que devo sair, percebendo o que é meu e o que é dos outros; aceito ser diferente para ser fiel a mim mesmo, amo o "eu" e aceito o "nós" quando me convém, procuro o novo e convivo com o velho de maneira crítica e inteligente.

Tento me separar de mim quando percebo que o outro que mora em mim não consegue mais me perceber. Movimento-me sempre que percebo que o outro está mais comigo do que com ele mesmo.

OPERACIONALIZAÇÃO DO CICLO DO CONTATO E FATORES DE CURA

Embora cada um de nós possa se interromper no ciclo em qualquer lugar, existe, no entanto, um ponto onde nos interrompemos de maneira mais constante, que é o lugar onde bloqueamos nossa energia e no qual interrompemos nosso contato relação corpo-ambiente e com a realidade à nossa volta.

Cada ponto do ciclo funciona como um ponto de encontro entre duas energias, uma de saúde, outra de bloqueio ou interrupção da energia de saúde: o defletor bloqueia a consciência, o introjetor, a mobilização, o projetor esbarra na ação adequada e assim por diante.

Esse ciclo funciona como um modelo com base no qual é possível, uma vez conhecidos os sintomas, fazer um diagnóstico. Por exemplo: o cliente chega e diz que tem grandes ideias, que procura acertar e não consegue, pensa que as pessoas não o compreendem, têm receio ou inveja dele, está sempre se virando, mas as coisas não funcionam.

Alguns passos, entretanto, são necessários para *psicodiagnosticar:*

- Verificar se a pessoa tem problemas físicos, neurológicos e/ou mentais que poderiam justificar a dificuldade de lidar com certos sintomas.
- Proceder a uma "nucleagem" do campo no qual a pessoa vive, atento à sua geografia humana, psicoemocional, socioambiental e transcendental.
- Atentar para o modo como ela experimenta e vivencia sua dimensão ambiental, animal e racional.
- Tentar captar a pessoa como uma totalidade, isto é, como um processo em ação e não como partes em desajuste.
- Acolher a fala do cliente com uma escuta centrada numa *epoché*, que permita ao psicoterapeuta total isenção de si mesmo no conteúdo expresso pelo cliente.
- Experienciar o fato de que o lugar do psicoterapeuta é aquele da presença e do cuidado e não da procura obsessiva da cura, até porque ninguém cura ninguém.

A psicoterapia supõe e exige um cuidado do tipo "preciso saber onde estou para saber para aonde posso ir", o que eu chamaria de "pré-diagnóstico"; *não se pode deixar o processo ocorrer como se ele se organizasse magicamente por si mesmo.*

A doença é exatamente um momento em que, por razões incontáveis, a pessoa perdeu sua capacidade de autorregular-se, de planejar-se. Por isso ela nos procura. Se nós não temos ou não queremos ter ideia de para onde ir, porque acreditamos que fazer psicodiagnóstico é interferir na espontaneidade do processo do outro, ambos corremos o risco de ir para onde não queremos. Temos espontaneamente intuições, percepções, ideias às quais precisamos prestar atenção. Temos porque sentimos, pensamos. Outra coisa é o que vamos fazer com hipóteses, emoções, pré-diagnósticos que levantamos, independentemente de nossa vontade.

Darei dois exemplos de como usar o ciclo do contato.

O primeiro, bastante simples, até um pouco folclórico, para deixar bem clara a progressão sucessiva de um passo para o outro. Definirei primeiro os mecanismos saudáveis e, em seguida, as interrupções.

Retirada/confluência

Retirada – Alguém está sentado à porta de casa, tranquilo, fazendo uma leitura gostosa, ou apenas está ali, vendo o tempo passar. É como se o mundo não existisse para ele. Está em estado de retirada.

Confluência – Alguém está sentado à porta de casa. As pessoas passam. O sol está quente, incomoda, e ele não percebe nada. A realidade fora dele não existe, ele simplesmente a ignora. Ele e o mundo fora dele se confundem. Uma não experiência da própria singularidade.

Fluidez/fixação

Fluidez – Então, passa uma jovem atraente, que o olha com displicência. Algo acontece dentro dele, uma energia diferente o retira do lugar mental no qual se encontrava. Torna-se mais vivo, aceso, predisposto, se interessa.

Fixação – Passa uma jovem atraente e olha para ele. Ele a olha e não a percebe. Está imerso nas suas ideias. Não consegue abandoná-las. Não consegue perceber possíveis vantagens em fazer algum gesto na direção dela e segui-la. Está centrado no seu mundo. É melhor ficar como está.

Sensação/dessensibilização

Sensação – Sente algo como o desejo de seguir aquela pessoa, sente até que o coração "se moveu", a respiração mudou. Fica surpreso, sente algo que identifica como medo de ser rejeitado.

Dessensibilização – A presença da jovem não lhe desperta nada. Sente indiferença. Sensação de que nada compensa. Fica para outra vez. Diz a si mesmo que não vale a pena tentar. Não se sente com vontade de sentir... Experiencia um vazio.

Awareness/deflexão

Awareness – Para e pensa: "Que faço agora, aqui? Percebo que preciso decidir. É novo, dou conta, sinto vontade de ir... Estou no mundo, preciso fazer alguma coisa. Dou-me conta de que algo poderá acontecer" (o corpo fala nestas horas).

Deflexão – Olha a jovem e diz: "Não vale a pena. Mulher bonita, perigo certo. Não gosto desse tipo de mulher. Ademais, estou sem tempo agora. Se ela me olhar, vou ver o que faço".

Mobilização/introjeção

Mobilização – Levanta-se, olha para os lados, dá alguns passos, para, pensa de novo, coloca o dedo sobre os lábios e diz: "Vale a pena, vou ver em que vai dar. Dou-me conta de que alguma coisa boa pode acontecer..."

Introjeção – Olha a jovem e diz: "Não devo adiantar-me. Pega mal, ser educado é melhor do que me arriscar. Acho que ela não gostaria de ser abordada. Pode sentir-se agredida se me dirigir a ela, acho que é melhor esperar que me dê um sinal".

Ação/projeção

Ação – Caminha, apressa o passo, adianta-se, caminha um pouco ao lado da jovem, sente-se seguro, percebe a emoção e diz "olá". A jovem olha pra ele e sorri. Ele pensa: "Legal!"

Projeção – "Aquela moça está me olhando, deve estar pensando que sou um babaca. Também, com aquele jeito, deve achar todo mundo idiota. Se ela fosse mais cordial, eu chegaria mais perto. Azar dela. Está perdendo uma chance".

Interação/proflexão

Interação – Ela para, eles se olham, talvez fiquem surpresos, caminham um pouco, até para pensar melhor. Ele pergunta de novo: "Posso falar?" Ela responde: "Sim".

Proflexão – "Ah! Ela se acha, seria bom até se tivesse um pouco o meu jeito cordial, atencioso. Aí chegaria até ela e seria legal com ela. Acho que ela gostaria de mim. Seria uma boa troca, mas com aquele nariz empinado não dá. Vou tentar de outro modo, talvez aí possa ter uma chance..."

Contato final/retroflexão

Contato final – No caso de "sim", eles conversam, se olham, comentam coisas, falam de sentimentos e sensações, trocam o número do telefone, um abraço tímido e vão, levando o outro para mais uma caminhada.

Retroflexão – É, não deu certo, acho que é minha culpa. Me arrependo de ter tentado chegar perto dela. Também, se insistisse mais, poderia não dar certo. Foi melhor assim, podia sobrar mais para ela e aí minha culpa seria grande.

Satisfação/egotismo

Satisfação – Ainda se a resposta é "sim", eles se olham prazerosamente, dizem coisas agradáveis um ao outro, se fazem promessas, sentem uma unidade e um certo começo de compromisso, dizem que valeu a pena, se abraçam...

Egotismo – "Não me movo. Ela que se aproxime, se quiser. Eu sou legal, ela, não sei. Vou ficar atento, mostrar naturalidade, mesmo que ela se dirija a mim. Não posso perder o controle da situação. Se não acontecer nada, tudo bem. O encontro talvez não fosse bom, fiz bem em mostrar indiferença".

Retirada/confluência

Retirada – É bom pararmos por aqui. Nossas diferenças nos manterão "longe" até que nos encontremos de novo. Dizer tchau é, ao mesmo tempo, bom e ruim. A vida continua...

Confluência – Sinto que me liguei, percebo que nossas diferenças são positivas e transformadoras. Vou tentar não me perder dela. Sinto-me mais leve depois que venci o medo de me aproximar dela.

Agora, um exemplo clínico de psicoterapia levada a bom termo. Vou tentar resumir a história de João, o "Pranada".

João, 35 anos, solteiro, formado em Contabilidade e em Matemática, atualmente cursando Medicina e já pensando em um novo curso superior. Quando criança, o pai o chamava de "aleijão", de "pra nada", porque, segundo ele, além de ser feio, era lento, vagaroso. Descreve-se como cheio de dúvidas; não sabendo o que quer, deixa que os outros deem palpite na vida dele. Totalmente desapegado, veste-se de qualquer jeito, está sempre disponível para os outros, mesmo à custa de sacrifícios pessoais, e não se valoriza. Sua mobilização está prejudicada pela intensidade dos introjetos (seja bonzinho, seja educado, não responda aos mais velhos, menina não cruza as pernas, se você brigar na rua, apanha quando chegar em casa...) que acumulou ao longo da vida.

É fácil identificar o "introjetor" nessa descrição. Olhando o nosso ciclo, vemos que o "introjetor" esbarra na "mobilização" como mecanismo saudável. Em palavras simples, ele introjeta, na infância, mais ou menos até os 6 anos, valores, normas, costumes domésticos, como forma de sobrevivência e necessita de mobilização como forma de resgate. Dentro de sua necessidade de mudança, ele caminha no sentido de projetar o introjetado, como primeiro momento de uma mobilização na direção adequada. Temos aí, portanto, ao mesmo tempo, o diagnóstico e o prognóstico.

João morava em Salvador e vinha a Brasília a cada 15 dias. Tinha família aqui. Seus pais moravam numa cobertura. Fazendeiros ricos. Brasília tem mania de churrascos nas coberturas das casas nos finais de semana. Quando ele chegava, feita sua sessão, ia para a casa dos pais. O pai sempre esperava que ele chegasse para pedir-lhe que comprasse a cervejinha. Ele, a contragosto, sem entender por que o pai o esperava chegar para fazer tal pedido, terminava comprando a bebida.

Ele me dizia:

— Pô, não entendo meu pai, tô cansado, chego de viagem e ele me pede para ir comprar cerveja.

João descia os seis andares, atravessava a rua, comprava a cerveja, subia e, como me dizia, ficava "puto da vida", mas engolia e não dizia nada ao a pai. Este continuava, talvez inconscientemente, a tratá-lo como um "pra nada". Este era um dos temas da terapia: o desrespeito do pai, como ele dizia, e a dificuldade de dizer "não" a ele. Na razão em que a terapia continuava, a raiva dele, a consciência da mágoa, o medo de "partir para cima do pai" cresciam, e isso era fartamente falado, "discutido" nas sessões.

Até que um dia João chega na casa do pai e ele lhe diz:

— Oi, Pranada [as pessoas diziam que era um modo carinhoso de chamá-lo], vai comprar a nossa cervejinha.

Aí me disse ele:

— Dr. Jorge, não sei por que, mas quando o meu pai disse aquilo fiquei possesso, meu coração parou na minha garganta, pus o dedo na cara dele e disse: "Se você quiser tomar sua cerveja, desça e compre, nunca mais me peça para comprar a sua cerveja. E tô indo embora!".

Disse isso ao pai aos berros, aos gritos.

E continuou:

— Dr. Jorge, eu vi o pavor nos olhos do meu pai e, pela primeira vez, vi que ele me via, ele viu que era um homem e não mais um menino medroso.

Ele parou de falar, ficou perplexo por uns instantes, e continuou:

— Meu pai disse: "Ô, filho, me desculpa, eu não sabia. Fica, não vai embora". Peguei minha pasta e fui embora, arrasado e feliz.

Depois disso, João ficou uns dois meses sem voltar para a casa do pai. E, quando retornou, relatou o seguinte na sessão:

— Meu pai me telefonou dizendo que todo mundo queria me ver. Eu fui. A cerveja estava lá. Aí eu disse: "De hoje em diante, vou me sentir ofendido se alguém me chamar de Pranada". Ninguém questionou.

João voltou para casa e trancou o curso de medicina. Renovou sua carteira de professor de matemática. Depois de mais cinco sessões, ele deixou a terapia.

O introjetor é um adulto calmo, conciliador, meio missionário, educado, inteligente, lento às vezes, mas tremendamente observador, segue à risca o provérbio "água mole em pedra dura tanto bate até que fura". E, quando fura, sai de perto, supita, joga em cima de alguém (que, às vezes, tem muito pouco que ver com aquele aqui-agora, mas foi pra quem sobrou), em um único momento, tudo que devia ter feito antes e aos poucos. *É dominado pela mágoa, pelo medo, pela culpa e pela raiva dele próprio e do outro.* Alguém que não consegue saborear a própria vida e, por isso, acopla sua vida à vida de alguém. Às vezes dá certo; a maioria das vezes, não. Uma pessoa "maravilhosa", mas infelizmente um forte candidato à depressão.

Retirada.

Como proceder após essa verificação?

Vou "programar" aqui o processo psicoterapêutico apenas como exemplo didático, porque, na prática, serão a sensibilidade, a arte e a competência técnico-científica do psicoterapeuta que decidirão que rumos seguir.

A psicoterapia, diferentemente do que acontece na vida, é não programável, pois programar significa ver antes, ver com antecedência, perder nosso estado de *epoché* e comprometer-se, *a priori*, com resultados.

Esse "programa" poderá durar um dia, uma semana, um ano. Nunca se sabe. O importante é que o psicoterapeuta, sem impedir que o barco siga seu curso, procurando sua própria margem, tenha um mapa, na cabeça e no coração, dos caminhos por onde andaram ou poderão ainda andar. A psicoterapia gestáltica, ou melhor, nenhuma psicoterapia é um laissez-faire. *A psicoterapia tem uma lógica e toda lógica supõe racionalidade e, portanto, previsibilidade.*

Eis o meu mapa com João e de João.

Parto do princípio, seguindo minha intuição, de que devo retornar à "fixação/fluidez", ou seja, voltar à busca da compreensão do caminho já percorrido, porque vejo João muito "lá atrás", preso à sua infância, às suas introjeções infantis. Fazer um mapa baseado em "introjeção/mobilização" pode significar dar grandes passos, mas fora da estrada, no sentido de que João está se autoimpedindo, inconscientemente, de ir mais além, na direção de "retirada/repouso", porque ele "sabe" que não conseguirá ir além do ponto onde já chegou. Assim:

1 Começo a trabalhar com João os modos como ele se fixa no passado, como ele não consegue pensar diferente; estudamos o significado dos termos "aleijão" e "pra nada" e o determinismo "criador" das palavras do pai. Ao trabalhar sua fixação, vou percebendo o outro lado, o da fluidez, se está ocorrendo, se está sendo fácil ou não.

Mostro momentos ou atitude de fluidez. Analisamos os ganhos desses momentos até passarmos à segunda etapa.

Cada um desses passos pode durar uma sessão, semanas ou meses. O tempo não é determinado. O cliente interpõe em cada um destes passos os assuntos que bem desejar. Nada é predeterminado. Pode passar sessões falando de outros assuntos. O psicoterapeuta, porém, sabe, silenciosamente, que eles estão no primeiro momento do processo, que poderá até não terminar, ser alterado; mas ele, psicoterapeuta, precisa saber onde se encontra.

2 Em seguida, fico atento às sensações que João começa a manifestar. A raiva, a culpa, a reparação, a desilusão, a repetição, o abandono, sempre que surgem, são explorados ao máximo, de todos os pontos de vista. João começa a falar de seus apelidos, do cansaço de estar sempre começando novos cursos. Sempre, dentro dos seus limites, João é apoiado a explorar, em profundidade, todos esses sentimentos e a experienciar que não se morre, ao contrário, se ressuscita, ao enfrentá-los.

3 A fase da *awareness*. Ela está sempre presente, mas esse é o momento de explorá-la de maneira mais clara. Esta fase, "*awareness*-deflexão", é a etapa da atenção constante, do "O que você vê, percebe, sente, gosta, faz, evita, teme?" ou "Você vê, sente, percebe, gosta, evita alguma coisa?" João intensifica a procura do porquê dos apelidos e das razões pelas quais está sempre a começar novos cursos. E como? É uma fase integrativa das conquistas já alcançadas. Costuma ser mais descritiva, mais tranquila. Uma fase de consolidação de percepções já alcançadas.

4 João está sendo visto como prioritariamente introjetor. Nosso trabalho, portanto, mais demorado, delicado, será aquele de como João se mobiliza para manter suas defesas e de como poderá mobilizar-se para andar na direção de um verdadeiro bem-estar. Concentrar-nos-emos nesse ponto como figura. Estaremos atentos às idas e vindas de João, ao seu modo de começar e interromper as coisas na sua vida, à maneira como foge do risco. O curso de Medicina é longamente discutido. João fala até em deixá-lo. Começa a retrucar quando dizem seus apelidos, agora mais por brincadeira por parte dos parentes. Estamos ali, atentos, pontuais, apoiando os novos caminhos, ajudando-o a descobrir outros, percorrendo com ele, pela palavra ou por experimentos, as sendas dos riscos novos que mais o ameaçam. Apesar de tudo ser uma coisa só, esse é o ponto-chave que nos chamará constantemente a atenção.

5 À medida que passar a perceber que ele existe, começará a projetar um novo mundo. Quando ele projetar o introjetado, o mundo começará a adquirir novas cores, e novos medos (projeções) poderão surgir. "Ação/projeção" é o momento das novas escolhas, dos novos caminhos, das ações nunca feitas; porque nunca imaginadas, estavam proibidas. João decide interromper o curso de Medicina. Fica feliz com a decisão. "Fazer Medicina é uma queda de braço com meu pai. Vou sair sempre perdendo", comenta João.

O psicoterapeuta é também responsável pela caminhada até aqui. Não deve ter medo do caminho que já percorreu com João, da verdade que eles descobriram e dos novos caminhos que João quererá percorrer com seu suporte claro e decisivo.

6 João está deixando a introjeção e a projeção prejudiciais e começa a viver uma nova fase, a de uma proflexão saudável. Ele começa a trocar. A interação é a superação da proflexão. Relaciona-se porque quer, porque gosta, porque deseja, e não porque é necessário. João quase não fala mais dos apelidos. Decide voltar a ser professor de Matemática. Sua mente está mais aberta para separar o joio do trigo, o falso do verdadeiro. A relação é procurada como uma forma de troca verdadeira, legítima. A relação de troca é elogiada, examinada com respeito aos ganhos. Os novos riscos são examinados cuidadosamente. O futuro é colocado na sua exata dimensão. Cliente e psicoterapeuta se sentem mais soltos e mais livres nessa fase do processo.

7 João deixou de ser inimigo de si mesmo, deixou de retrofletir. As coisas para ele agora têm começo, meio e fim. Aprendeu a sentir, a se mover, a pensar. Está inteiro nas coisas. "Ah! Parece que a tempestade maior passou. Quanto tempo, quanta energia gasta para provar uma coisa a mim mesmo!" Toca as coisas com tato, mas não com medo, de si ou delas. Aprendeu a se respeitar, a gostar de si mesmo, a não deixar as coisas inacabadas, está encontrando o gosto pela vida. A estrada está chegando ao fim. Mais do que nunca os erros, mesmo os menores, podem ser fatais. É um momento de alegria, mas sobretudo de paciência, porque não se deve apressar o rio. O psicoterapeuta está inteiro, nesse momento, reforçando, aplaudindo, apoiando, sempre centrado na realidade como um todo.

8 João aprendeu a sair de si mesmo, aprendeu a encarar o mundo. O medo, muitas vezes, ainda está lá, mas não o impede de funcionar. Ele aprendeu a dividir. Está feliz. Sente que o caminho tem pedras, mas aprendeu a evitá-las ou a pisar sobre elas sem se machucar muito. Olha para trás e vê o caminho introjetado, duramente experienciado. Olha o presente e sente-se inteiro. Olha o futuro colocando-o dentro de seu presente. O psicoterapeuta segue de perto esses momentos de ida, de romper laços, encoraja, fala livremente, não se ausenta na despedida, porque ambos percorreram o mesmo caminho. Assume responsabilidade. Ele tem o direito de estar feliz.

9 Retirada. Alta. Término da psicoterapia. João diz que está bem, que valeu, sente vontade de ficar e sente vontade de ir. Ele precisa ir. Os sintomas desapareceram. Parece que João por inteiro está diferente. O psicoterapeuta, como alguém no terraço de um aeroporto, vê o avião alçar voo. Ele sabe que o avião poderia ficar mais um pouco, mas também sabe que é andando, voando, que alguém se torna livre.

Terminamos a caminhada. O tempo que durou não importa muito. Percorremos os mais variados caminhos, nas mais diferentes ordens. O cliente não sabia que havia uma ordem, um programa sendo seguido, ele era livre para falar do que quisesse e do modo como quisesse. Eu me deixava levar por ele. Voava nas asas dele, mas nunca despregava os olhos de minha bússola. Eu precisava saber onde estávamos. Se ele dormia, eu tomava conta do seu sono. Se era dia, eu estava sempre um passo atrás dele. Se era noite, eu iluminava meu caminho e ele podia, se quisesse, aproveitar a luminosidade de minha lanterna.

Dei um exemplo de uma psicoterapia bem-sucedida. Muitas vezes, não obstante programa e competência, o processo pode andar diferentemente. Mesmo nesses casos, os princípios continuam os mesmos e as razões para o não sucesso devem ser procuradas em outras variáveis, que não abordaremos aqui.

Toda vez que o modelo do ciclo se completa, como nos exemplos já descritos, seja numa sessão de psicoterapia, numa viagem, num trabalho longo e até numa simples conversa, a energia de mudança cumpriu sua caminhada de procura e apoio da realização do outro. Por menores que sejam os resultados, uma vez que o ciclo se completou, houve um ganho em harmonização, em autoequilibração, em saúde.

Idealmente, o ciclo deveria completar-se sempre, para que nada ficasse inacabado, e dar lugar a uma nova Gestalt, a uma nova experiência, embora seja humano que coisas fiquem inacabadas – porque somos criaturas, porque não temos sempre uma visão da totalidade de nossos gestos, porque o mundo fora de nós é maior do que nossa percepção alcança, porque temos medo de nossa própria verdade, porque temos medo de que nossos desejos se completem de verdade, e assim por diante.

Um desejo inacabado, no entanto, é uma energia que se perde, que se acumula para se juntar a outra de natureza diferente. Pensemos no introjetor que interrompe seu ciclo entre "mobilização e ação". Ele tem medo do risco, da opinião do outro, faz coisas que não gostaria de fazer. Assim suas energias de amor, de raiva, culpa, medo e mágoa, de desejo etc. permanecem acumuladas na mobilização. Em dado dia, alguém lhe diz algo muito ruim, que ultrapassa sua capacidade de conciliação. Que faz o introjetor? Parte para a ação com todas as energias acumuladas de outras situações que nada têm que ver com aquela. E o que acontece? Dá grandes passos fora da estrada. Diz, faz coisas que não eram necessárias e, frequentemente, se arrepende depois.

Na linha da humanidade, o introjetor, quando se sustenta num ajustamento criativo funcional, é um tipo de pessoa da qual vale a pena estar por perto.

À GUISA DE CONCLUSÃO

Não tenho conclusão ou conclusões. Tenho reflexões, e muitas. Resolvi, no entanto, dividir com vocês meus pensamentos sobre o ciclo, tal qual foi sendo reformulado.

Não temos a mesma clareza no que diz respeito às interrupções ou aos bloqueios das diversas etapas de cada função do *self*, id, ego e personalidade, isto é, se um mecanismo posterior contém o anterior – por exemplo, se projeção conteria introjeção –, dado que essas etapas são operacionais, sistemáticas, e os mecanismos de cada função são separados em grupos de três, e, nesse modelo de ciclo, cada função do *self* não se comporta ou não se comportaria na ordem lógica da posição dos ponteiros do relógio. Como essas funções têm naturezas diferentes, também funcionam diferentemente, embora talvez se possa dizer que entre elas e nelas uma etapa, de algum modo, inclui a outra, dado que, se admitimos que interação inclui ação e mobilização, de algum modo proflexão incluiria projeção e introjeção. Também não podemos afirmar que, sendo "retirada" o primeiro ou o último momento do contato, "confluência" seja o início ou o fim de qualquer processo de interrupções do contato.

Se, entretanto, penetramos, cuidadosa e profundamente, a natureza de cada mecanismo de cada função – id, ego, personalidade –, parece existir certa inclusão de um processo no outro quando caminhamos de um ao outro na direção do relógio. Por exemplo: o mecanismo da projeção parece ser mais complexo do que o da introjeção, embora ambos pertençam à função eu do self; *como parece existir igualmente algo como uma exclusão interna (de "dentro" para fora do mecanismo), como uma diminuição de processos neuróticos de um mecanismo para outro, se observados na direção oposta aos ponteiros do relógio, ou seja, nessa perspectiva, o mecanismo da introjeção parece menos complexo do que o da projeção.*

É como se houvesse uma perda ou uma conquista de um para outro, no caso de considerarmos cada função caminhando na direção do relógio ou em sentido contrário; assim, a dessensibilização é certamente menos grave que a fixação, a deflexão certamente menos grave que a dessensibilização e assim por diante. É até natural que assim seja, ou que assim fosse, visto que, se a mobilização inclui a *awareness* e é um passo além, a introjeção, que é o outro lado da mobilização, de algum modo incluiria a deflexão, embora de sistemas diferentes.

Apesar de haver certa lógica nesse raciocínio, precisamos de mais pesquisas para estabelecermos a natureza interna de cada ajustamento criativo que pode ocorrer no ciclo do contato e sua inter e intradependência de outros mecanismos, bem como para aprofundar a relação de interconexão existente entre os dois momentos do ciclo em dado ponto – por exemplo, entre introjeção e mobilização.

Outro ponto delicado na compreensão da operacionalização do ciclo é a relação "*awareness*/deflexão". A doença básica do contato é a deflexão, seu oposto, a *awareness*. É como se, de certo modo, todo o ciclo fosse apenas uma questão de gradação entre *awareness* e deflexão. Nesse caso, os dois processos, embora interconectados, seriam autônomos, não estariam na corrente que liga um mecanismo a outro. Estariam fora do ciclo ou de fora, como um ponto de referência para todos os outros mecanismos. Eles seriam sínteses polares de processos opostos. Assim como a deflexão parece ser a doença básica do contato, também a *awareness* é o lugar por onde ele se resgata.

Eles continuam experimentalmente no ciclo, porque parece ser ali, onde se encontram, o lugar em que mais interferem na relação de contato. Vale também aqui a ressalva de que são necessárias mais pesquisas para determinar a real natureza desses dois processos.

É difícil falar de um mecanismo sem pensar no outro, porque eles são, por natureza e função, complementares. A distinção ou divisão, entretanto, facilita o diagnóstico e uma visão mais clara dos rumos que o processo psicoterapêutico poderá tomar. Cada etapa é como uma pista que pode ser seguida, dependendo do lugar para onde se quer ir. Tanto o mecanismo de cura quanto o de bloqueio ou interrupções são sinalizações na estrada da mudança.

Dissemos que o contato pleno envolve três subsistemas do nosso organismo: o sensorial, o motor e o cognitivo. Se um desses está fora de ação, o contato não se faz de modo pleno – ou simplesmente não existe. Na razão, porém, em que interagem, se integram, a qualidade do contato fica mais definida, mais nutritiva e transformadora. No ciclo, esses três sistemas estão presentes: o sensorial, por meio de fluidez/fixação, sensação/dessensibilização e *awareness*/deflexão; o motor, por meio de mobilização/introjeção, ação/projeção e interação/proflexão; e o cognitivo, por meio de contato final/retroflexão, satisfação/egotismo e retirada/confluência.

A pessoa pode se paralisar nas suas sensações, na sua capacidade motora, na sua capacidade cognitiva. Às vezes, essas três funções estão de tal modo afetadas que o indivíduo não se reconhece, porque, nesse caso, perde a capacidade de se aproximar ou de se afastar da realidade como algo distinto de si mesmo.

Psicoterapia significa facilitar um processo pessoal no qual essas funções coexistem e trabalham harmoniosamente. Contato é a pessoa se vendo através de sua procura, de sua interação, de maneira cada vez mais diretiva e enraizada. A *awareness* fica como um farol que ilumina particularmente ora uma, ora outra dessas funções, embora deixe sua luminosidade pairar sobre todas elas.

São intrínsecos à noção do ciclo do contato que estamos apresentando o conceito de modelo, de estrutura, forma e função, o conceito de *self*, de mecanismos de defesa/bloqueios/interrupções do contato – por alguns chamados muito apropriadamente de mecanismos de autorregulação organísmica – e os fatores de cura, que chamo também de passos do contato. Tais conceitos formam o campo teórico dentro do qual me movo e segundo os quais tento entender o processo de mudança no sentido da cura, que envolvem a questão do modelo psicodiagnóstico psicoterápico processual.

Estou consciente da necessidade de pesquisar mais para solidificar tal pensamento. Ideias são como sementes, umas apenas nascem, outras frutificam, outra perduram, dependendo ora das sementes, ora do solo em que caem, ora da energia com que o semeador as lança em terra.

Mudança, cura, são conceitos universais e, como processos, ocorrem em qualquer lugar em que o ser humano se encontre, independentemente de qualquer categorização.

Embora tenhamos privilegiado a questão clínica, com relação à pessoa, na compreensão e operacionalização do ciclo, esse modelo se aplica perfeitamente à visão da Gestalt-terapia como abordagem multifacial, aplicável aos diversos campos de atividade humana, e pode nos ajudar a ter uma visão clínica de qualquer estrutura onde possam intervir os conceitos de desenvolvimento e mudança – uma empresa, uma escola, um hospital.

Qualquer organização pode ser pensada não só nos termos do ciclo do contato, mas nos demais modelos por nós apresentados. Na verdade, uma organização não é um conjunto de paredes e máquinas, é um corpo vivo e sofre as mesmas doenças do contato, por meio de bloqueios institucionais. Falta-nos apreender sua realidade como tal, como um processo, e fazer as pontes entre aquilo que ela demonstra, aquilo que ela tem e aquilo que ela é, ou seja, as formas como escolheu existir e se expressar.

O homem tem sido definido como animal racional; para sermos mais exatos, numa visão ontológica, sua definição deveria ser a de um ser ambiental-animal-racional. A Gestalt-terapia e, sobretudo, a abordagem gestáltica acolhem, celebram e praticam essa definição.

Como viver é estar em contato todo o tempo, vou além, dizendo que a teoria do ciclo de contato, como foi exposta, talvez nos possa dar elementos para pensar uma teoria do desenvolvimento humano, em etapas do crescimento. Cada passo ou etapa do ciclo pode ser pensada como etapa do crescimento humano, com seu oposto, constituído pelos bloqueios de contato ao longo do desenvolvimento.

Posso pensar teoricamente o desenvolvimento de uma criança no primeiro ano de vida, seu desenvolvimento até os 7 anos ou até a adolescência, pensar a pessoa até a idade adulta ou até mesmo o processo de desenvolvimento da vida como um todo tentando ver como os diversos passos do ciclo se colocariam em cada um desses processos existenciais, como etapas de compreensão do processo existencial, enquanto ajustamento criativo.

Devo lembrar que os chamados bloqueios ou interrupções do contato só se tornam patológicos, doentios, quando usados compulsivamente, de maneira continuada, desnecessária, fora de um real contexto. Fora desses contextos, constituem formas eficazes de ajustamento criativo.

A título de exemplo, e de maneira extremamente simplificada, talvez ousada, partindo apenas de minha longa prática clínica e de muito estudo, vou pensar o primeiro ano de vida de uma criança vendo seu desenvolvimento através das etapas do ciclo. Deve ficar claro que, nesse caso, nesse modelo, tanto as interrupções/os bloqueios quanto as etapas da saúde são formas de ajustamento criativo. Assim, "fixação/fluidez" são uma etapa, um movimento, um instinto (não tenho uma palavra clara), uma caminhada da fixação para a fluidez no processo de crescimento da criança – e assim por diante com as outras etapas.

Assim, proponho:

- Fixação/fluidez: primeiro e segundo meses.

- Dessensibilização/sensação: terceiro mês.
- Deflexão/*awareness*: quarto mês.
- Introjeção/mobilização: quinto mês.
- Projeção/ação: sexto mês.
- Proflexão/interação: sétimo e oitavo meses.
- Retroflexão/contato final: nono e décimo meses.
- Egotismo/satisfação: décimo primeiro mês.
- Confluência/retirada: décimo segundo mês.

Desenvolvimento da ideia de como poderia ocorrer o primeiro ano de vida de um bebê:

Apesar de toda a vida, de todo o movimento que brotam no corpo de um bebê, ele, de algum modo, até pela própria natureza das limitações de seu corpo, padece de certa "fixação" e, ao mesmo tempo, a vida que ali viceja, que grita por se desenvolver, por crescer, gera nele a marca mágica da "fluidez" (primeiro e segundo meses).

O bebê não consegue se abrir à luz, aos sons, ao movimento, ele não suportaria tantos estímulos, por isso vive um estado protetor de "dessensibilização"; ao mesmo tempo, tudo nele está em estado de absoluta procura; ele precisa de expansão, por isso vive também um mágico estado de "sensação" (terceiro mês).

Ele está se preparando para sentir, para pensar, mover (ele já se move), mas ignora tudo isso, olha sem ver, ouve sem escutar, toca sem sentir, vivendo um silencioso estado de "deflexão; ao mesmo tempo, o contato desabrocha nele e, de algum modo, uma gretazinha de percepção faz brilhar seus olhinhos, enquanto seu corpo e sua pele começam a responder através de um mágico processo de "*awareness*" (quarto mês).

O bebê começa a perceber coisas, talvez a incorporá-las, manda-as para dentro inocentemente; para ele não há bom nem ruim: simplesmente engole, "introjeta"; ao mesmo tempo, sua natureza o movimenta, começa a escolher, quase sabe o que quer, só não sabe que a isso chamamos de uma mágica "mobilização" (quinto mês).

Agora ele olha e estranha, se não gosta não vai, parece até que sabe o que quer, dentro e fora é o mundo dele, o outro... A "projeção" é um longo e estranho caminho para o bebê; ao mesmo tempo, ele faz pequeninas escolhas, mostra já seu jeitinho de amanhã, parece que começa a olhar e ver. É mágico, é "ação" (sexto mês).

Está ficando grandinho. Olha com interesse. Começa a entender que pode escolher, quem sabe até negociar! Ainda não sabe que ele é ele, mas faz já alguns movimentos, consegue ficar em pé no berço, anda pelas beiradas, momentos para que os outros "descubram" quem é ele. "Proflete", começa a brincar consigo mesmo e com os outros, às vezes sorri, quase gargalha, está vivendo os primeiros passos de uma mágica "interação" (sétimo e oitavo meses).

Cada dia mais brincalhão e "ocupado" com seus brinquedos, embora ande aprendendo pequeninas pirraças: não quer comer, dormir... (difícil falar em "retroflexão" de um bebê). Não conhece ainda a culpa, mas começa a perceber a diferença entre um rosto tranquilo e um severo. Quando tem um colo legal, se aconchega todo. Tenta "usufruir", se entregar, antes que lhe possa ocorrer um "mágico" contato final. (nono e décimo meses).

Está com 11 meses, já anda ou quase, cambaleia, tenta ficar em pé. O animalzinho que mora nele está tentando se manter em pé, olhar o mundo de cima para baixo ou de igual para igual. Hesita, fica confuso, meio arredio, mas vai, procura. Algo está acontecendo dentro dele, um "egotismo inocente". Está apreendendo e aprendendo que a mágica "satisfação" não se contenta com pouco (décimo primeiro mês).

Finalmente, 1 ano. Primeira maioridade. Uma festa, presta atenção a tudo, sorri, vai de braço em braço, fica feliz, ele é todo mundo, todo mundo é ele. Estranha, talvez sinta medo, quando o deixam. Começa a aprender ser "igual" aos outros, começa a "oferecer" coisas ao outros, "conflui", mas não se apega, foge quando não gosta, chora se o seguram "de certo modo", e faz sua mágica "retirada".

Tal visão viria ao encontro de um modo, de uma concepção de pensar a vida e a realidade em termos de etapas do contato, relacionais desde os primeiros instantes de nossa existência, *embora eu esteja plenamente consciente do caráter "improvisado" de tal modelo pela falta de pesquisas na área do desenvolvimento humano em nossa abordagem.* Esse modelo, que caminha, como proposta possível, do menos para o mais, é mais uma provocação que uma proposta de certezas. Após 12 meses, a criança é um "adulto" comparada com os primeiros instantes de sua chegada a este planeta.

O ciclo do contato e de fatores de cura pretende nos dar uma visão didática de nosso funcionamento, do nosso jeito de estar no mundo, da dimensão experimental, experiencial, existencial e transcendental das formas de relação que estabelecemos no mundo e com ele. Somos seres de relação e em relação. O contato é o processo que sela e confirma nossa humanidade. O contato pleno não é apenas o da palavra, ou através da palavra, mesmo porque, frequentemente, ela oculta mais do que revela. Essa é a razão pela qual devemos estar atentos ao corpo e a todas as suas manifestações auxiliares, como formas de complementar a realidade dialógica. A fala, o corpo e suas relações com o ambiente nos revelam a pessoa na sua singularidade, nos revelam a forma que, ao longo dos anos, ela experienciou e introjetou, tornando-se o que é.

Contato é função de uma totalidade que a pessoa produziu através de um verdadeiro processo dialético, em que certezas e verdades, medo e coragem, passado, presente e futuro tiveram um papel especial. Somos uma totalidade, vivemos em totalidade, e apenas por intermédio dela nos tornamos compreensíveis a nós e aos outros.

Contato é um momento, um estado e um processo, enfim, pelo qual, experienciando nossa totalidade na nossa relação eu-mundo, encontramos nossa unidade e, através dela, reconhecemo-nos como seres no mundo, para o mundo e do mundo – e aí e só aí nos damos um nome, reconhecemo-nos como únicos e indivíduos.

4. Aplicação prática do ciclo do contato: Gestalt organizacional

INTRODUÇÃO

Pensar uma organização em termos de produção, de rendimento, de eficiência, pensar, enfim, a saúde de uma organização é pensá-la em termos de como ela faz contato. Contato como um processo revelador de como o encontro entre pessoas, máquinas, funções e as necessidades de mercado se fazem e acontecem.

A definição de Gestalt é o primeiro momento que nos dá uma pista de como conduzir uma conceituação fenomenológico-existencial da questão da saúde de uma organização.

Uma Gestalt, na qualidade de processo, é um movimento de partes harmonicamente entrelaçadas, em íntima e dinâmica inter e intradependência, formando uma totalidade como unidade compreensível, recebendo um nome. O nome é a manifestação visual da existência de algo, enquanto dá compreensibilidade ao objeto, fazendo a realidade passar de sua subjetividade ontológica ou constitucional para uma objetividade operacionalizada.

A realidade, portanto, é composta de *Gestalten* como explicitação nominal de uma totalidade. Só quando um ser atinge sua totalidade ele está completo, recebe um nome, torna-se uma Gestalt.

É nesse contexto de realidade como totalidade transformadora que os conceitos de contato e saúde se cruzam, se fazem interdependentes e fazem sentido dentro de uma visão organizacional.

Saúde é o resultado de um encontro de partes, que se faz com tal harmonia, em determinado sistema, que a totalidade daí surgida é a expressão clara de um contato transformador. Saúde é, portanto, função de um encontro saudável entre a realidade que se vive e o organismo que responde, gerando um encontro de diferenças que se respeitam, na procura de uma unidade de sentido.

Contato, no nosso contexto, é mais do que uma palavra, é um processo com endereço certo, porque é um caminho para chegar a determinado lugar. Quando alguém perambula a esmo, sem nenhuma motivação, não está fazendo contato; percorre caminhos que podem levá-lo, inclusive, a lugares onde não gostaria de ter ido. O contato emana de uma consciência de totalidade que, num segundo momento, se intencionaliza por um processo de *awareness*.

Saúde é expressão do encontro de todos esses elementos, possuindo intrinsecamente uma energia vital que provém do relacionamento harmonioso dos sistemas que compõem a psique humana.

Tais sistemas, por sua vez, ao lado de um funcionamento que lhes é próprio, porque emana de sua natureza, são extremamente sensíveis no que diz respeito à satisfação de necessidades externas que concorram para a equilibração geral do organismo.

Saúde diz respeito à satisfação adequada de necessidades, é um processo de autorregulação entre pessoa e meio. Assim, atrás de toda doença existe a não satisfação ou a satisfação inadequada de necessidades que precisam ser atendidas.

Saúde é um processo autorregulativo que emana de um instinto maior, o instinto de autopreservação. Todo ser nasce para continuar existindo, e se organiza de tal modo que *tudo* aspira complementar-se cotidianamente.

Nesse contexto, morrer é o acidente maior, e adoecer, um desequilíbrio temporário que grita por soluções adequadas. Saúde é um contínuo dinâmico entre organismo e meio, numa relação recíproca, harmoniosa, entre necessidades presentes, no aqui-agora, e sua satisfação.

Saúde é, portanto, uma energia positiva que permeia os diversos campos que formam o espaço vital de um indivíduo, desempenhando a específica função de metabolizar os mais variados elementos que penetram a fronteira eu-mundo e de eliminar aqueles elementos que são destruidores dessa unidade funcional.

A visão de mundo da abordagem gestáltica é que tudo se autorregula e se autopreserva, existindo uma sabedoria instintiva corporal, uma atenção, uma consciência, enfim, uma *awareness* corporal por meio da qual a pessoa procura satisfazer suas necessidades, que são o elemento nutridor de qualquer mudança que tenha vindo para ficar.

A saúde é relacional, não é um fenômeno em si mesmo, não existe sozinha, existe em alguém, em uma família, em uma empresa. Não é causa, é efeito de uma série de variáveis que se inter e intracruzam, formando uma unidade funcional, visível. Podemos dizer o mesmo da doença – efeito da perda desse contato em partes que formam uma totalidade operacional. Na doença, existe uma obstrução de canais saudáveis, de tal modo que a energia vai se acumular em sistemas que passam a funcionar irregularmente, na tentativa de suprir uma funcionalidade interrompida.

Pensando nessa reflexão, podemos tentar encontrar pistas que nos levem a algum lugar e nos deem a tranquilidade de que estamos numa estrada que nos indica o norte, a partir do qual possamos seguir, com certa segurança, nossa bússola, tais como:

1 ver a saúde, em qualquer forma de contato, segundo uma concepção sistêmica e integrada;
2 observar a comunidade em questão como um grupo vivo e tentar atendê-la com base em suas necessidades reais;
3 colocar os usuários internos e externos como figura central do atendimento;
4 estimular a corresponsabilidade, aliada à integralidade e à equanimidade da competência;
5 usar de modo adequado os dados do diagnóstico organizacional, não só do ponto de vista quantitativo, mas também do qualitativo;
6 usar adequadamente a linguagem por parte dos profissionais, sobretudo líderes, quer na assistência interna aos diversos grupos, quer no que se refere à comunidade externa;
7 promover, segundo uma visão específica e comum, a saúde da empresa, e não simplesmente amenizar sintomas ou processos secundários.

Esses sete pontos têm dupla dimensão:

a têm validade intrínseca enquanto pertencem a uma lógica interna ou têm uma lógica interna que cria um novo "paradigma", uma nova atitude;

b são roteiros, como o mapa de uma cidade cujas ruas na sua totalidade só têm um endereço: a pessoa humana e, por intermédio dela, a organização.

A grande questão é: bastam um curso, um programa, para introduzir uma nova atitude, ou é o coração e a mente das pessoas que têm de ser atingidos ou até mudados?

Na verdade, estamos falando de uma nova postura que nem a universidade nem a prática e a técnica das organizações parecem dar quando isoladas de um específico conceito de mudança, com base nas leis que são próprias da totalidade.

Talvez pudéssemos falar de um "processo de conversão". Conversão do homem para o homem, em primeiro lugar, e do homem para uma totalidade que o supera e transcende, e sem a qual o mero cuidar das partes será sempre um paliativo ao qual ele retornará infalivelmente, porque isso implica:

1 o despojamento de um poder de autoridade, para a vivência de um poder de servir aos objetivos da equipe;

2 o reconhecimento da competência, pois nenhuma ciência é dona do ser humano nem tem a totalidade das coisas que nos cercam;

3 uma justiça distributiva, o reconhecimento de que ninguém é dono de ninguém, de que ninguém sozinho é salvador de ninguém – somos apenas facilitadores de um processo de mudança;

4 o reconhecimento da validação epistemológica de outras ciências que podem juntas encontrar soluções mais inteligentes e eficientes;

5 a perda do medo e a disposição real, concreta, de começar a ver com outros olhos a crença de que o organismo se autorregula, autopreserva e tende a estender esse instinto às coisas que ele toca;

6 a crença de que o todo é diferente da soma de suas partes, e de que a verdade se encontra na totalidade e não nas partes.

Embora dividamos para entender melhor, o atomismo é a destruição mais sofisticada da ciência: "Saber cada vez mais de menos". Se, de um lado, a especialização é fundamental para atingir níveis elevados de cientificidade no conhecimento, por outro, ela rompe o processo, igualmente científico, de ver as coisas como uma unidade funcional que contém em si mesma uma ordem interna e superior de se autorregular. São duas visões complementares: a especialização perde a riqueza da totalidade; a totalidade perde a certeza do detalhe.

Uma equipe é um estado de espírito e não um conjunto de pessoas trabalhando juntas, porque o formal de uma equipe, o que constitui sua essência, é o fato de que cada um dos membros aceita humildemente a certeza de que a realidade é maior, mais complexa do que aquilo que a percepção e a inteligência de cada um podem captar dela.

Podemos pensar alguns modelos de equipe imaginando o que formalmente as distingue umas das outras do ponto de vista do contato – e, portanto, de sua saúde.

1 Equipe multiprofissional: os profissionais sabem tudo, a equipe sabe tudo, todos têm razão e apresentam de forma radical seu saber. De fato, ali ninguém escuta ninguém. Discute-se um caso e depois cada um faz do jeito que bem entende. É uma equipe centrada no profissional. O profissional é figura, o problema, o sintoma, é fundo. No ciclo do contato, paralisa-se entre fixação e dessensibilização.

2 Equipe interdisciplinar: as pessoas discutem um caso, um problema ou situação, com base nos referenciais de suas escolas ou de suas profissões e da disciplina ou matéria em questão. Digamos que é uma equipe centrada no sintoma, o qual é estudado de todos os ângulos: médico, psicológico, pedagógico, administrativo. As pessoas escutam ou tentam escutar as razões do outro, embora, de fato, os profissionais continuem livres para seguir seus caminhos. No ciclo do contato, paralisam-se entre mobilização e ação.

3 Equipe transdisciplinar. Talvez pudéssemos dizer equipe ultradisciplinar ou até falar de uma ultradisciplinaridade: é uma equipe centrada na totalidade da relação pessoa-mundo, organismo-meio, objeto-sujeito.

A pessoa ou a organização é a figura, e não as disciplinas que a estudam, e menos ainda os profissionais que a defendem. No ciclo do contato colocam-se entre interação e contato final, podendo ter caminhos para "retirada".

Nesse contexto, gostaria de chamar a atenção para um tema fundamental no processo de renovação das estruturas disfuncionais de uma organização: a questão das equipes.

O contato ocorre entre diferentes. É o diferente que aciona o eu e o faz colocar os mecanismos em alerta.

Trabalhos em equipe parecem ser a resposta mais natural quando se quer ter uma consciência maior dos processos que ocorrem em uma totalidade.

Falar em equipe é falar em formas de contato como elemento gerador de saúde.

A organização é trans e ultra, está além do que as ciências e os profissionais podem dizer dela.

Nenhum indivíduo, bem como nenhuma disciplina, tem acesso ou esgota os milhares de informações que o corpo humano ou uma organização complexa contêm.

O real é uma totalidade manifesta, um conjunto de partes harmoniosamente ligadas entre si, formando uma unidade compreensível.

De um lado, a especialização, ao estudar cada vez mais de menos, tem a pretensão de salvar a objetividade da ciência; de outro, a visão de totalidade como uma unidade holística, em que o todo é anterior às suas partes, tem a pretensão da fidelidade ao conhecimento como crítica da ciência.

Ser fiel à realidade significa vê-la, observá-la atentamente, descrevê-la cuidadosamente e lhe dar um nome, como uma unidade funcional, compreensível a quem quer que a observe.

A transdisciplinaridade, mais do que um método de intervenção na realidade, é um estado de espírito centrado na observação cuidadosa da relação parte-todo, e no sentido criativo e transformador que é intrínseco a essa relação. Ela transcende o aqui-agora, meramente temporal, mensurável, e se projeta desafiadoramente nas possibilidades que todo risco supõe quando se quer pensar o amanhã.

Nesse contexto, transdisciplinaridade passa a significar:

- respeitar o outro como distinto de mim; respeitar sua trajetória, que oculta ou revela sua grandeza;
- respeitar a unicidade e a singularidade do outro;
- respeitar qualquer ciência que possa contribuir com o conhecimento e com a solução de um problema de pessoas ou coisas;
- respeitar a própria limitação pessoal;
- sair da pura metafísica, da linearidade, da certeza que a relação causa-efeito parece dar, e passar à dialética, na qual a dúvida, natural ao simples fato de ser existente, possa desempenhar papel criador;
- passar de uma postura de essência, como crença absoluta na capacidade de perceber a verdade, àquela da existência como prática do cotidiano.

A questão, portanto, da equipe multidisciplinar não é apenas de disciplina (medicina, direito, economia, psicologia etc.) ou de uso de técnicas adequadas, mas de postura, de estado de espírito, de humildade, de amor pelos objetivos que se perseguem.

É, sobretudo, uma questão de passar do *sintoma*, no qual as ciências se apoiam, ao *processo*, que é a produção individualizada e não reiterável que a pessoa ou organização trilha para atingir seus objetivos.

Para entender um processo e, consequentemente, tratar sintomas dele resultantes, temos de entender o espaço vital dentro do qual uma pessoa ou organização se locomove.

Tudo que nasceu deve continuar vivendo, toda a nossa criação é resultado de nosso anseio de eternidade, por isso a energia existente nas coisas e pessoas é a alma vibrando por continuidade. É aí que temos de concentrar nossa atenção, deixar que nosso ser seja possuído por uma *awareness* cada vez mais profunda, à procura de nossas verdadeiras necessidades ou das necessidades das coisas que tocamos.

Saúde é fruto da satisfação harmoniosa e constante de nossas necessidades. Doença é o esquecimento, a desatenção ou a negação delas. Isso vale para pessoas e organizações, que são pessoas transformando coisas em vida, dando ou procurando sentido a ela.

Fazer contato real é mudar o foco da doença para a saúde, do problema para a criação corajosa de novas possibilidades, porque doença é a perda do sentido de uma totalidade, presente em uma organização ou pessoa, momentaneamente em desequilíbrio.

Somos nós que temos de nos modificar, por meio de atitudes novas, baseadas numa filosofia existencial que nos faça ver o outro ou as coisas que fazemos ou amamos como vemos a nós mesmos: dignos de respeito.

A abordagem gestáltica, centrada na totalidade do ser, assim como ele se apresenta aqui-agora, caminhando na relatividade da figura, no seu ir e vir e no seu surgir, com base em um fundo dinamicamente estável, nos proporciona um campo teórico com base no qual a realidade se faz legível, compreensível, numa perspectiva sistêmica e holística. A visão fenomenológico-existencial nos proporciona a união perfeita do absoluto e do relativo, do passageiro e do permanente, permitindo-nos ver a realidade com um duplo olhar, com o olhar da certeza e com o olhar do risco, com o olhar da ciência e com o olhar da criação – e ainda com um terceiro olhar: o transcendental.

Zinker (1977/1979) diz que Gestalt-terapia é permissão para criar; nesse contexto, é importante que se faça uma reflexão clínica sobre a questão da saúde e da doença nas organizações, que se coloque o desafio de pensar clinicamente a organização, centrando-se no conceito do contato como teoria básica da abordagem gestáltica. Estamos falando de um ensaio, de uma tentativa primeira de respostas.

Fenomenologicamente, tentaremos sair do sintoma ou da figura e passar ao processo pelo qual o instinto de autorregulação organísmica opera nas pessoas e nas coisas que elas tocam através do contato.

Estamos, portanto, saindo da metáfora da intrassubjetividade das pessoas para a intersubjetividade das pessoas e coisas. Estamos dizendo que as organizações não são um conjunto de salas, máquinas e pessoas, e sim um sistema vivo, por intermédio do qual a realidade acontece, no aqui-agora de dado campo, como um corpo vivo, em um espaço vital. Possuem uma facticidade própria de todo e qualquer organismo vivo.

Nossa proposta é pensar a organização do ponto de vista da saúde e da doença, sob o ângulo do conceito do contato como teoria e prática.

Começo afirmando que a doença não existe em si, e tal fato seria um absurdo, pois significaria a existência de um ser que seria só negação.

A doença é relacional e implica a perda da totalidade organísmica, implica uma necessidade não satisfeita, uma energia interrompida no seu curso natural.

Como subtração de energia em um campo total, a doença não pode ser considerada em si, mas sempre em relação à pessoa e ao campo total no qual pessoa ou organização se incluem.

Doença é um fenômeno como processo. Como dado, porém, existe em alguém ou em alguma coisa. Não se deveria, portanto, tratar a doença e sim a relação que se quebrou entre ela e o mundo, rompendo a homeostase da relação entre campos.

Saúde é contato e, quanto mais pleno o contato, tanto mais ocorre saúde em dado campo. Saúde é contato em ação, e qualquer interrupção no contato implica perda de saúde.

Enquanto contato é a expressão da relação eu-mundo, operacionalizado pelo mecanismo da autorregulação organísmica, doença é a quebra, a interrupção dessa energia instintiva de autorregulação, provocando um desequilíbrio em dado campo.

Nossa tese, portanto, é que saúde e doença são funções do contato, e que um contato pleno é o fator essencial em um processo de imunologia pessoal ou organizacional.

CONTATO E ORGANIZAÇÃO

A complexidade da compreensão da saúde ou da doença em dado organismo, em dado campo, passa por uma visão aprofundada dos elementos que compõem as diversas possibilidades de constituição das diferentes formas de contato (veja a Figura 1, p. 36). Os modelos apresentados na primeira parte são mapas que incluem pistas a ser observadas por todo aquele que deseja chegar à compreensão global da realidade ou de uma parte dela. Esse quadro não contempla, evidentemente, toda a realidade, mas mostra uma complexidade relativa, pela qual os meandros do contato ficam mais claros. Não são caminhos hipotéticos, são caminhos reais, e toda e qualquer consultoria tem de passar necessariamente por eles, ora como figura, ora como fundo.

Como no organismo humano, muitas doenças na organização são "voluntárias". Muitas vezes, sabemos o remédio e negamo-nos a procurar a saúde.

Às vezes, penso num "instinto involuntário de morte", por exemplo, como alguém que sabe que deve parar de fumar e continua fumando. Chamo este processo de "neurose de evidência disfuncional".

A neurose de evidência disfuncional de uma organização passa por um processo extremamente complicado, porque a doença continuada é a negação do desejo de viver e a contradição daquilo que Kurt Goldstein chamava de único instinto no ser humano: o instinto de autopreservação.

Nesse contínuo paradoxal entre saúde e doença, é difícil encontrar o ponto zero, o divisor de energia com base no qual a radicalização, consciente ou não, começa a se fazer e a se chamar saúde ou doença (veja a Figura 3, p. 68).

Como todo sistema humano, o organismo reage sempre diante de uma totalidade, seja no sentido positivo, seja no negativo. Adoece por inteiro, embora conserve sempre partes intocadas, e se restabelece por inteiro, embora algumas partes sigam seu próprio movimento no processo de restruturação.

O *self*, nosso sistema de contatos e nosso centro emocional de energia, está cercado de três grandes sistemas, em íntima relação com nosso organismo no mundo e para o mundo. É daí, dessa relação, que nascem nossa força existencial ou nossas disfunções quando ela se firma e fortalece, ou se quebra e rompe.

A energia está no sistema, na totalidade, seja ela o corpo humano, seja uma empresa, seja ainda uma família. Ver e estudar essa totalidade é o único caminho para encontrar as partes preservadas do ser, porque é delas que emanarão para as demais partes carentes os eflúvios energéticos capazes de restaurar a totalidade debilitada. Ora será o sistema cognitivo, ora o sensório, estreitamente ligado aos afetos e às emoções, ora será o motor. Estamos falando de figura-fundo. A maximização de um desses sistemas, mais preservado, facilitará o processo de recuperação dos demais.

Esses sistemas, dinamicamente ligados entre si e na mais perfeita comunhão, ocorrem em certo campo e, como os sistemas dos quais tratamos antes, formam uma unidade funcional, permitindo ao organismo funcionar como um todo harmonioso (veja a Figura 4, p. 73). Qualquer intervenção em um organismo vivo ou num sistema complexo, como uma indústria, passa pela consideração desses quatro campos. Tanto a saúde como a disfunção podem se generalizar por todo o campo ou afetar mais um do que outro.

Qualquer processo de mudança, no sentido da cura, passa pela necessidade de diagnosticar em qual campo os processos saudáveis ou não saudáveis estão atuando mais ativamente para que, utilizando a energia construtiva de dado campo, de maneira didaticamente consciente, todo o campo restante possa reorganizar-se. Isso vale tanto para uma pessoa quanto para uma organização – em ambos os casos, trata-se da restruturação de um campo em desorganização.

Habituados a setorizar, a dividir a fim de entender, adquirimos um viés que eu poderia chamar de "viés da cientificidade", pelo qual temos a ilusão de controlar a realidade como tal. É mais fácil controlar aquilo que vemos, que tocamos, aquilo, enfim, que está sob o controle dos nossos sentidos, internos ou externos. A realidade, porém, ultrapassa a perspicácia e a capacidade de controle de nossos sentidos. A realidade é aparentemente dupla: eu e o mundo. Na verdade, não existe essa separação, porque *eu sou o mundo, o mundo sou eu*. Essa é a reconexão essencial que precisa ser feita, sob pena de continuarmos pensando que somos donos do mundo e não uma de suas partes constitutivas. É a inter-relação dinâmica dessas duas realidades que me dá a totalidade das coisas. Só a totalidade carrega todas as informações que a natureza contém, e nenhuma ciência tem acesso a essa totalidade (veja a Figura 5, p. 76).

Quando dizemos que tudo é uma coisa só, não estamos afirmando o caos cósmico, mas dizendo que existe uma única energia que perpassa todos os seres, distinguindo-se um do outro pelo *como* essa energia se atualiza, com base na potência intrínseca que lhe é inerente, fazendo que o ser aconteça. Essa energia chama-se movimento, força, emoção, vida, alma.

Tudo no universo está em íntima dependência com tudo, tudo inclui tudo, tudo afeta tudo, nada pode ser explicado exclusivamente por si mesmo, cada coisa no universo é uma miniatura dele e, se soubermos ler atentamente qualquer ser no universo, este pode nos fornecer milhões de informações. Estamos diante de um grande holograma, em que tudo inclui tudo e tudo se repete. Nossa função é mudar de ângulo para, a partir daí, contemplar o universo nas suas mais variadas facetas. É o que estamos chamando de *ipseidade* cósmica.

Isso vale para o ser humano. Isso vale para uma organização complexa. Ainda que devamos prestar atenção aos sintomas, porque eles são o lugar onde aquele pequeno universo grita por socorro, não podemos parar aí, porque é a totalidade que nos dará as respostas de que necessitamos para entender como o sintoma se estruturou (veja a Figura 6, p. 83).

Esse é um trabalho cuidadoso, demorado, paciente, mas é o único caminho que nos dá a garantia de chegar ao lugar certo, a partir do qual poderemos nos orientar no sentido de uma nova autorregulação organísmica

DOENÇA E ORGANIZAÇÃO

Todo sintoma é uma forma desesperada, criada pelo organismo, para tentar se autorregular. Sintoma é, portanto, um tipo especial de resistência, de ajustamento criativo, embora disfuncional. Não deve ser sufocado, destruído *a priori*, pois sua função é revelar um aspecto oculto da totalidade operacional da pessoa – e é por intermédio dele que poderemos atingi-la.

As chamadas resistências, verdadeiros processos de tentativa de autorregulação e de autopreservação, são caminhos sutis e racionalizados onde todo processo começa, podendo a organização adoecer na razão em que esses processos se tornam contínuos, intensos, desconectados de suas necessidades.

Ampliando os pensamentos de Freud e Brown, podemos dizer que onde existe uma resistência existe também a tentativa de satisfazer alguma necessidade, como:

O desejo de não desistir de algo de valor. Compreensão inadequada da mudança e de suas implicações. A crença de que as mudanças não fazem sentido dentro do espírito da organização. Uma baixa tolerância à mudança, ao risco. Os membros da organização desconhecem seu comportamento atual e suas consequências para a organização. Os membros da organização têm uma rica e variada fantasia do que possa acontecer se tentarem enfrentar o problema. Os membros percebem que seus desejos e necessidades não foram satisfeitos pela organização. Os membros não acreditam que as mudanças que possam ser feitas resolverão os problemas da sua situação na empresa. As pessoas têm dificuldade de deixar a organização. As pessoas que têm pouco poder não podem dizer não – e, se dizem, são chamadas de resistentes.

Fica claro que todos esses processos, ditos resistenciais, se localizam, no ciclo, entre "retirada" e "ação" – ou seja, a doença da organização se localiza basicamente nos sistemas sensório-afetivo e motor: a ambiguidade nesses sistemas é a principal fonte de resistência.

A título de exemplo, usaremos alguns mecanismos que nos mostram a disfuncionalidade da organização, ou seja, comportamentos doentios que levam a organização a uma doença chamada *falência*, que é a *totalidade disfuncional operacionalizada.*

MECANISMOS DE INTERRUPÇÃO DO CONTATO

Esses mecanismos atuam das maneiras mais diversas, sendo às vezes difícil precisar qual deles ocupa o primeiro lugar quando se trata de explicar uma neurose organizacional.

Resistência é um nome nosso, o que a organização faz é tentar sobreviver por meio de energias, de processos que lhe parecem momentaneamente autorreguladores.

A organização, como uma totalidade, é um ser vivo: pensa, sente, move-se e organiza-se de maneira previsível, embora, como em todo grupo humano, processos conscientes e inconscientes estejam atuando a todo instante.

Nossos exemplos caminham na direção de mostrar algumas situações autorreguladoras, de tal modo que possamos visualizar os sintomas *num processo que chamamos de decadência organizacional.*

As energias que dominam determinado processo, desorganizado como um todo funcional, são o fundo, como doenças estruturais de um corpo chamado organização, e os sinais externos de decadência são a figura gritante e visível de um processo que, às vezes, leva anos para se revelar – tal como certos sintomas no corpo humano que vão formando resíduos e, quando descobertos, já não bastam intervenções cirúrgicas para contê-los, mas é preciso o milagre da determinação e da esperança.

DECADÊNCIA E ORGANIZAÇÃO

Vejamos alguns exemplos com base nas diversas etapas de bloqueio ou interrupções no ciclo do contato que nos remetem a uma compreensão mais imediata dos modelos que estamos analisando, todos eles variações do *ciclo de experiência original.* Assim desenvolveremos uma melhor compreensão da realidade como totalidade que se oferece à nossa contemplação e cuja leitura nos remete à intencionalidade original dos fatos.

1. Confluência/retirada: medo de ser diferente, de criar

- Executar tarefas que não são suas.
- Funcionar mais para ajudar do que para criar.
- Repetir o que outras empresas fazem sem uma crítica interna.

- Perda de identidade, na qual o eu e o mundo nos confundem.
- As funções não são claramente estabelecidas e as pessoas fazem o que o outro deveria fazer.

Os sintomas podem ser assim sintetizados: *é um estado de confusão em que a organização e, consequentemente, as pessoas ignoram o que são, o que querem ou de que necessitam; existem uma ausência total de diferenciação, pela perda da subjetividade, e uma confusão entre a organização e o ambiente. A organização se despersonaliza.*

2. Fixação/fluidez: deterioração de condições

- Quebra de liderança: ninguém manda, todos mandam, um só manda e sabe tudo.
- Seleção negativa na relação.
- Intensificação permanente de períodos de crise.

Os sintomas podem ser assim sintetizados: *é um estado de apatia, de falta de entusiasmo, de descrença nas possibilidades de criação na empresa. Implica ausência parcial ou total do desejo de mudar e de correr riscos. A organização fica paralisada, sente-se sem saída.*

3. Dessensibilização/sensação: perda dos objetivos gerais

- Indiferença funcional e relacional.
- Perda do entusiasmo.
- Indiferença entre objetivos internos e externos.
- Persistência em trilhas que, comprovadamente, não dão certo.

Os sintomas podem assim ser sintetizados: *a esperança desaparece. Os pequenos sucessos são atribuídos a causas externas ou acidentais. Existe uma sensação de desintegração. A organização não consegue se perceber, fica como um corpo sem emoções.*

4. Deflexão/consciência: sinais de decadência

- Queda de autoimagem.
- Sentimentos de inadequação organizacional.
- Falta de engajamento real.
- Fuga da realidade por interpretações não realistas.
- Falha do *script*.

Os sintomas podem ser assim sintetizados: *as pessoas se comportam como se nada estivesse acontecendo. Mantêm, com naturalidade, comportamentos autodestrutivos. Não deixam os verdadeiros sentimentos aflorar. A organização fica com medo de olhar para dentro de si mesma, de se reconhecer e não saber o que fazer com aquilo.*

5. Introjeção/mobilização: clima de baixa energia

- Falta de energia, baixa motivação, baixa moral.
- Muita frustração e infelicidade individual.
- O mundo é maior do que eu, preciso fazer acordos com ele.
- Se insistir, desaparecerei.
- Todo mundo sabe tudo, menos eu.

Os sintomas podem ser assim sintetizados: *a organização vai muito devagar; complica por demais soluções a ser tomadas;*

muda com frequência os ideais e objetivos, sem perceber sua relação com a totalidade. Existe uma perda generalizada da agressividade e da assertividade. As pessoas esperam que as soluções salvadoras venham de fora e têm dificuldade de assumir pessoalmente responsabilidade pelo que fazem.

6. Projeção/ação: eu existo, o outro eu crio

- Eu digo o que ele tem de fazer.
- Sou inocente, ele é culpado.
- Todo mundo me persegue.
- Deixa comigo que eu resolvo.

Os sintomas podem ser assim sintetizados: *a organização assume de modo exagerado a responsabilidade pelo que faz ou diz, sobretudo os líderes, não confiando na responsabilidade do grupo para tomar soluções adequadas. Sempre existe um bode expiatório que justifica todos os fracassos; o grupo diretor evita contato com os demais grupos ou não os aceita por receio de estar sendo vítima de trapaça. É a solidão empresarial.*

7. Proflexão/interação: eu existo nele

- Quebra na comunicação.
- Confusão entre o objetivo e o subjetivo.
- Conflito interpessoal.
- Trocas escondendo interesses camuflados.

Os sintomas podem ser assim sintetizados: *estabelecimento de um sistema de trocas no qual os verdadeiros interesses não aparecem. O bem da empresa torna-se fundo e os interesses das pessoas, figura. Existe uma segunda intenção por trás de quase todos os comportamentos. A relação entre patrões e empregados fica sob suspeita.*

8. Retroflexão/contato final: ele existe em mim

- Indefinição organizacional.
- A organização se transforma em autoagressora.
- Diminuição dos *inputs* e *outputs*.
- Inabilidade para lidar com os problemas cotidianos.
- Incapacidade de planejar o futuro.
- Negligência com coisas práticas, como: telefones, banheiros, instalações.

Os sintomas podem ser assim sintetizados: *a organização passa a não se reconhecer, a lidar consigo mesma como se fosse uma desconhecida. Interpreta possíveis fracassos como mera coincidência, eximindo-se da responsabilidade; interpreta benignamente processos autodestruidores e, de algum modo, torna-se inimiga de si mesma.*

9. Egotismo/satisfação: eu existo, eles, não

- Rompimento das normas na organização.
- Desacordo sobre suas finalidades e valores.
- Desconhecimento do que é, para que serve, quem é quem.
- Desinteresse na relação de causa e efeito, na produção de resultados passíveis de ser previstos.

Os sintomas podem ser assim sintetizados: *a empresa funciona como se fosse senhora de si mesma, desconhecendo seus limites e sua relação com o mundo fora dela. Simplesmente age, faz e não se indaga se esses gestos podem ter resultados negativos e destruidores. Os resultados são vistos em si mesmos, desconectados do prazer que possam trazer e de possíveis novas trilhas a serem abertas. A questão é o fazer e não os resultados.*

Todos esses mecanismos podem ser vividos:

- pela organização como um todo;
- por parte da organização;
- pelos indivíduos na organização.

Todos esses processos são cortes na relação contato-mundo. Uma doença pode permanecer, por longo tempo, nas organizações por causa da dificuldade que temos de perceber a realidade como de fato real. Os problemas não estão na saída nem na chegada, mas na *travessia* das coisas. É no *entre* das coisas que eles acontecem e se tornam significativas, mas, para que esse *entre* seja observado, sentido, intencionalizado, é preciso que tenhamos captado a totalidade das coisas. A intencionalidade só ocorre depois que a totalidade chega à consciência. Quanto mais a totalidade ocorrer, mais pleno será o contato. Onde existe uma resistência existem uma diminuição da totalidade funcional e, consequentemente, uma perda na qualidade do contato.

O contato só ocorre quando diferenças ocorrem. É a presença das diferenças que instiga o eu a colocar os mecanismos reguladores em ação. O contato é encontro, sua qualidade é outra questão.

Esses sinais são sintomas de um amplo e vigoroso processo que ocorreu nos diversos sistemas e campos do organismo organizacional.

Qualquer intervenção no sistema de saúde de uma organização passa necessariamente por uma leitura saudável desses sistemas e campos, que, na sua totalidade, são a expressão mais pura e eficiente deste instinto extraordinário do organismo: o instinto de autorregulação e de autopreservação.

Contato é a junção, a síntese harmoniosa desses sistemas, guardiães da inter e da intradependência dinâmica que geram a vida. As organizações, assim como o corpo humano, vivem uma necessidade constante de equilíbrio entre esses três sistemas, entre esses quatro campos. Fazer contato é indagar para onde as coisas correm naturalmente, é ver-se projetado no amanhã e descobrir trilhas novas que nos conduzam a um autoequilíbrio organísmico – ou refazer trilhas antigas na esperança de que a terra, novamente adubada, possa produzir bons frutos.

5.
Contato, uma ponte entre teoria e prática: síntese das teorias e filosofias de base

INTRODUÇÃO

Encontrar-se é um processo difícil. Não basta, às vezes, a intuição humana para que duas pessoas se encontrem com resultados positivos, porque cada um de nós leva consigo, além das informações que seu corpo passa, todo seu universo invisível de vivências. Esse encontro se dá nos mais diversos níveis e, em cada momento, ocorre diferentemente. Esse encontrar-se está sujeito, também ele, às leis que regem qualquer processo de mudança.

Por outro lado, toda mudança passa pela experiência do contato. Mudança e contato não se justapõem, automaticamente, para produzir um resultado. Todo efeito é fruto de uma intencionalidade implícita no contato. Apenas aparentemente uma mudança ocorreu por acaso. *A posteriori*, se formos à gênese de uma mudança, descobriremos que elementos variados se interligaram dinamicamente para produzir o efeito ocorrido.

Esta é uma das funções da psicoterapia: mais do que lidar com a estrutura do sintoma, descobrir como ele se estruturou conduz ao caminho de novas mudanças.

Se é possível esse ver antes, esse descobrir elos ocultos, detectar conexões complexas, também é possível, teoricamente, programar um encontro, uma mudança, prever caminhos mais adequados para chegar à praça principal de nosso ser.

Nesse sentido, fazer psicoterapia supõe trilhas *a priori* e deixa de ser fruto do acaso, porque o psicoterapeuta, ao longo de sua vida, se preparou para responder adequadamente a este encontro criador: o momento da psicoterapia.

Tal momento tem também o empenho da situação presente. Não basta uma preparação que ocorre ao longo da vida. Cada encontro é diferente, tem uma energia distinta, supõe atitudes diferentes. Supõe estar presente unicamente para a pessoa que está ali diante do terapeuta, porque esse encontro é único e não repetível.

Psicoterapia, portanto, é um momento de arte, de técnica, de ciência. Essa tríade dá garantia de sucesso, continuidade e consistência ao processo de mudança.

A habilidade do terapeuta é fruto da junção destes três momentos: do seu preparo acadêmico, das técnicas que usa e da arte que se expressa no cotidiano do consultório.

Uma das grandes dificuldades, sobretudo do terapeuta iniciante na área da abordagem gestáltica, é fazer pontes entre a teoria que estuda e a prática do consultório, porque o campo teórico em que se move a Gestalt-terapia é de tal complexidade que dificulta, de fato, essa passagem entre teoria e prática.

Outras vezes, somos conhecedores das teorias que nos servem de base, mas temos dificuldade de operacionalizar seus princípios na prática cotidiana.

Que significa, na prática, dizer que Gestalt é uma abordagem fenomenológica da realidade? Como o terapeuta expressa isso em seu trabalho? Que comportamentos revelam que o terapeuta está em dado campo teórico? Como pode uma teoria dar pistas de como agir em determinado campo?

Esta parte do ciclo do contato visa tentar apresentar algumas respostas a essas questões. Deve ficar claro que essas pistas não dispensam uma leitura constante de textos e pesquisas da área, não dispensam um repensar do ato terapêutico em termos de supervisão e estudo de caso, não substituem uma leitura pessoal e aprofundada dessas teorias. Não é nossa intenção contar o "pulo do gato", porque cada gato pula de modo diferente, de momento para momento.

E, sobretudo, não é nossa intenção dizer que estas reflexões sintetizam a complexidade das teorias que elas expressam. Estas reflexões são apenas mais uma trilha de aproximação da realidade. Restam milhares de trilhas que compete ao terapeuta descobrir em cada caso. Estamos dizendo que observar, estar atento a esses diversos pressupostos, nos ajuda a fazer contato com a pessoa quando é vista dentro de um campo teórico em que ela se faz mais compreensível para nós e para ela própria. Muitas vezes, a psicoterapia não anda porque não somos capazes de nos localizar teoricamente ante os conflitos que nossos clientes nos apresentam. Estamos com uma bússola na mão e não sabemos usá-la porque perdemos, ou não encontramos, o ponto de onde partimos. E quem anda a esmo não chega a lugar nenhum.

Esses pressupostos são uma via de mão dupla, têm uma dupla intenção: ajudar cliente e psicoterapeuta a se localizar em um primeiro momento. Às vezes, aplicam-se mais a um do que a outro, porque, também no campo teórico, cada um busca aquilo que o conduz mais eficientemente à essência das coisas.

Dentre esses pressupostos, eu diria que o humanismo existencial nos oferece as pistas do coração, da alma da abordagem gestáltica. Ele forma a alma, o espírito vivificador, animador e orientador de nosso agir terapêutico. Retrata o estilo, o jeito de ser do profissional e sua crença firme em que essas trilhas conduzem a um contato transformador com a realidade que ele toca.

As demais teorias formam o corpo, um lado mais visível da abordagem gestáltica, uma estrutura cientificamente mais passível de ser controlada na relação terapêutica. Tais teorias formam o mapa da grande cidade da mente humana, enquanto o humanismo existencial faz o modo, o estilo pessoal como cada um vai usar esse mapa nessa grande viagem.

Na complexidade de possibilidades, eis algumas de nossas pistas.

TEORIA HUMANISTA EXISTENCIALISTA

Quando nos dizemos humanistas existencialistas, estamos afirmando que:

1. a pessoa humana é a medida de si mesma, sabe o que é, o que quer e para onde pretende ir;
2. a pessoa humana tem o poder interno de fazer opções preferenciais ao longo de sua vida;

3 a pessoa humana não é determinada *a priori*, mas é capaz de mudar seu rumo quando o desejar;
4 a pessoa humana é uma totalidade – jamais adoece por inteiro, tem sempre reservas puras, intocadas dentro de si mesma e jamais perde sua força renovadora;
5 a pessoa humana é, fundamentalmente, livre e responsável;
6 é mais saudável e restaurador para a pessoa experienciar o que ela tem de positivo, luminoso, belo;
7 mudar faz parte da essência da existência – a pessoa humana é, por natureza, mutante;
8 a pessoa humana é real, concreta e pode também pensar com realidade e concretude;
9 a pessoa humana é singular, e, quando descoberta e vivenciada, essa singularidade torna-se para ela uma fonte inesgotável de mudança;
10 a consciência é dinâmica e relacional – portanto, descobrir a própria verdade e, consequentemente, os próprios caminhos é natural ao ser humano;
11 a pessoa funciona como um projeto e, como tal, é o único ser que pode se ver no amanhã e decidir sobre isso quando em situação de respeito a si mesma;
12 o tempo não é matemático, é funcional, é relacional, porque existem segundos que parecem uma eternidade, e eternidade que parece um segundo – na base dessas sensações estão nossas emoções, como fatores de diferenciação.

MÉTODO FENOMENOLÓGICO

Quando dizemos que empregamos a fenomenologia como método, estamos dizendo que:

1. vemos a realidade, a observamos com atenção, a descrevemos fielmente e a explicamos de modo cuidadoso (a interpretamos no sentido lato do termo). Esses são os momentos do encontro. Às vezes, o encontro terapêutico não ocorre nessa ordem, mas é importante ter consciência desses passos porque eles facilitam o encontro com a totalidade do cliente e do próprio terapeuta;
2. trabalhamos o aqui-agora. Estamos atentos à temporalidade e à espacialidade na qual a pessoa se movimenta e que se revela na vida como na terapia. A totalidade ocorre no aqui-agora. Só se tem acesso real à pessoa quando se tem acesso à sua totalidade possível;
3. trazemos para o aqui e agora as emoções e sentimentos vividos pelos clientes, porque uma das finalidades da psicoterapia é a recuperação do emocional, é reexperienciar passado e futuro com a força da energia do presente;
4. estamos atentos à pessoa como um todo, ao verbal e ao não verbal, estamos atentos a um perfume, ao balançar espontâneo e despercebido dos pés, ao estilo da roupa, às mudanças físicas, como um corte de cabelo, o cortar uma barba de longos anos. Tudo no ser humano é fecundo de significados. Não é o sintoma que está em terapia, é a pessoa como um todo;
5. evitamos interpretações, porque trabalhamos com o sentido imediato das coisas trazido pelo cliente, que deve

sempre ser acreditado, mesmo quando as aparências parecem dizer o contrário. A interpretação pode envolver juízos de valor;

6 entendemos que o sintoma é apenas a ponta do *iceberg* e, por isso, trabalhamos prioritariamente com os processos que o mantêm, mais do que com os processos em si mesmos. O sintoma implica desvio de uma energia que, originalmente, era saudável. Não podemos não ver o sintoma, mas não podemos ficar parados ali. O sintoma é o lugar onde o trem descarrilou, o lugar de chegada é mais além;

7 aceitamos e trabalhamos a experiência imediata do sujeito, porque a consciência nunca é consciência do nada, ela é sempre consciência de alguma coisa – e, por mais tênues que sejam os sinais, é sempre uma pista que o corpo dá;

8 os experimentos são uma riqueza imensa e podem ser de grande valia quando realizados cuidadosamente. Gestalt-terapia, como diz Joseph Zinker, é permissão para criar;

9 o psicoterapeuta está incluído na totalidade da relação cliente-mundo, e sua experiência pessoal e imediata, vivida na sua relação com o cliente, não pertence a ele, e sim à relação. Essa experiência pode – e às vezes deve – ser codividida com o cliente;

10 esses pressupostos se aplicam não apenas à parte clínica da Gestalt, mas a uma abordagem mais geral da Gestalt, no que diz respeito às instituições.

TEORIA DO CAMPO

Quando dizemos que temos por base teórica a teoria do campo, queremos dizer, em psicoterapia, que:

1. o comportamento ocorre em função de determinado campo, em dado e preciso momento. O comportamento não é antes nem depois. É agora. O real é sempre diferente das expectativas que o precederam;
2. o comportamento é acessível, percebido e observável, com base no sujeito e na realidade na qual o comportamento ocorre, e o corpo é a porta de entrada para toda e qualquer observação;
3. a pessoa humana é sujeito de forças bio, psico e socioespirituais que ocorrem em dado momento. A realidade é mais ampla do que a percepção que temos dela. A experiência desses campos ocorre à revelia de nossa percepção, muitas vezes funcionando ora como fundo, ora como figura. São nossas necessidades que determinam a experiência mais clara de um ou de outro;
4. o comportamento só pode ser compreendido e modificado com base nas relações entre pessoa e meio, e não pode ser deduzido do próprio comportamento. A neurose é, frequentemente, o comportamento gerando comportamento no nível intrapsíquico. A história anterior do indivíduo determina o comportamento, sem que o ambiente tenha responsabilidade pela sequência dos fatos;
5. um fato nunca pode ser visto da mesma maneira por dois indivíduos, pois a vivência da pessoa interfere na sua percepção atual da realidade;

6 tudo aquilo que, em dado momento, é capaz de influir num campo no qual o comportamento ocorre – ora como figura, ora como fundo – é parte desse campo;
7 o observável em dado momento não é necessariamente a estrutura, mas sim o resultado dela. Não é aquilo que vemos que nos afeta, mas como vemos, ou o resultado do que vemos;
8 analisar o comportamento por intermédio de elementos isolados significa destruir as características estruturais de um fenômeno. Um sintoma não pode explicar a totalidade de uma pessoa como algo separado em dado campo;
9 o presente explica o passado, e não vice-versa. Não existe uma linearidade causal entre passado e presente. A causa do comportamento atual está sempre no presente, embora passado e futuro possam funcionar como condição para facilitar o surgimento de um conflito;
10 quando uma pessoa se locomove de uma região a outra, todo o campo sofre uma restruturação – daí a importância da espontaneidade no processo criativo como facilitadora de novos comportamentos;
11 a sensação de funcionalidade do espaço e do tempo está diretamente ligada ao grau de realidade ou irrealidade com que a pessoa vive determinadas emoções ao se movimentar nas fronteiras de seu espaço vital;
12 a mudança das pessoas depende da posição, da função e do intercâmbio que as diversas regiões do espaço vital mantêm entre si. Um fato ocorrido em uma região afeta todas as outras regiões, em diferentes graus;
13 o construto força tem três propriedades: direção, intensidade, ponto de aplicação. Nada, portanto, é neutro de significação, e tudo afeta tudo;

14 a valência de uma região, positiva ou negativa, é decorrência de variados fatores, como beleza, fome, estado emocional – e da intencionalidade que antecede nossas ações;
15 a força correspondente a uma valência aumenta ou diminui de acordo com a mudança na intensidade da necessidade sentida pela pessoa, e depende também da distância em que esta se encontra de sua meta. Daí a importância de saber o que ela realmente quer e, dentro daquilo que quer, quanto pode de fato realizar;
16 quanto maiores forem as possibilidades no espaço vital de alguém, maior será a diferenciação de atitudes possíveis e mais facilmente a pessoa poderá escolher, facilitando seu processo de mudança – psicoterapia é abertura de possibilidades;
17 a tensão é um processo de oposição entre dois campos de força e, quando ocorre, provoca locomoção e perda de equilíbrio, o qual é um estado de harmonia entre pessoa e meio;
18 toda necessidade revela um sistema de tensão em uma região interna da pessoa e afeta a estrutura cognitiva e seu espaço de vida, como experiência na sua relação com o passado, o presente e o futuro;
19 o grau de fluidez da pessoa determina o seu nível de mudança. Quanto mais fluidez a pessoa tiver, de menos força necessitará para mudar. É função da psicoterapia permitir que o cliente flua cada vez mais;
20 o processo de mudança das pessoas obedece a uma sutileza que não pode ser verificada cotidianamente.

TEORIA ORGANÍSMICA HOLÍSTICA

Após essas longas reflexões, queremos ainda afirmar que, quando dizemos que trabalhamos holisticamente, estamos dizendo que a teoria organísmica:

1. postula que a tendência à atualização é o único impulso pelo qual a vida do organismo é determinada – os outros instintos são decorrência deste. Neurose é a interrupção dessa tendência natural, procurando uma simbiose doentia entre os diversos sintomas do organismo na sua relação com o ambiente;
2. vê a autoatualização como a razão pela qual o organismo existe, como o único motivo que move o organismo. É por meio dela que a tendência criativa do organismo se plenifica;
3. afirma a unidade, a integração, a consistência e a coerência da pessoa normal;
4. concebe o organismo como um sistema organizado e procura analisá-lo diferenciando o todo em suas partes constituintes, dado que o todo funciona de acordo com leis que não se podem encontrar nas partes;
5. parte do pressuposto de que o indivíduo é motivado por um impulso dominante e não por uma pluralidade de impulsos. Tal impulso é chamado de autorrealização, segundo o qual o ser humano é levado continuamente a realizar, por todos os meios, todas as potencialidades que lhe são inerentes;
6. embora não considere o indivíduo um sistema fechado, tende a diminuir a influência primária e direta do meio externo sobre o desenvolvimento normal e a ressal-

tar as potencialidades inerentes ao organismo para o crescimento. O meio não pode forçar o indivíduo a se comportar de forma estranha à sua natureza, e o organismo não pode controlar o meio – trata de adaptar-se a ele;

7 utiliza frequentemente os princípios da Gestalt e acredita que as preocupações dos Gestalt-terapeutas em relação às funções isoladas do organismo, tais como a percepção e a aprendizagem, constituem a base para a compreensão do organismo total;

8 acredita que se pode aprender mais em um estudo compreensivo da pessoa do que em uma investigação extensiva de uma função psicológica isolada e abstraída de muitos indivíduos;

9 afirma que para atender ou tratar um sintoma temos de entender a vida de quem o produz, porque um órgão não é um sistema separado com suas funções próprias, mas uma parte integrada de um sistema inteiro: eu-mundo;

10 alega que a tendência básica do organismo é empregar suas capacidades preservadas da melhor forma possível, daí a importância de não insistir nem permanecer compulsivamente tratando um sintoma por meses a fio, esquecendo-se de procurar o lado luminoso e lidar com o positivo que existe em todas as pessoas;

11 diz que o sintoma, além de expressão de uma mudança na autoatualização, é uma diferenciação de compromisso, como tentativa de ajustamento a uma nova realidade;

12 coloca o sintoma como a totalidade que adoece. O sintoma é apenas um grito de dor de uma região mais lesada. O processo de mudança segue a mesma lógica. É a totalidade que precisa ser mudada, porque é por ela que se percebe como o sintoma se estruturou;

13 defende a necessidade de descobrir as leis que regem determinado organismo como um todo para compreender a função de qualquer de suas partes, porque é a totalidade que explica as partes e não o inverso.

PSICOLOGIA DA GESTALT

Quando afirmamos que estamos trabalhando com o enfoque da psicologia da Gestalt, estamos dizendo que:

1 estamos ligados atentamente à questão de como a pessoa percebe a si e ao mundo e ao modo como, com base nessa percepção, ela se organiza nele;

2 estamos atentos ao modo como a pessoa apreende a realidade, as lições do cotidiano, e como as soluciona, porque existe uma lógica entre o modo como alguém organiza sua percepção e o modo como se organiza na vida – as leis que regem a formação da percepção se aplicam analogicamente ao comportamento humano;

3 existe uma relação dinamicamente transformadora entre o todo e suas partes. O todo, além de ser qualitativamente diferente das partes que o compõem, é a expressão final de como o ser se estrutura;

4 a relação entre figura e fundo, como maneiras pelas quais a pessoa organiza sua percepção de totalidade, envolve uma questão de percepção, de consciência, de motivação, em direta dependência das necessidades humanas. As necessidades emergem como tentativa de autorregulação organísmica;

5 o conceito de aqui e agora facilita a percepção da definição do modo como uma coisa se estruturou, do modo como hoje é percebida, colocando em evidência a questão da causalidade linear na produção de determinado efeito;
6 o conceito de totalidade está dinamicamente ligado aos conceitos de aqui e agora, polaridade, figura e fundo, e estes são caminhos necessários para chegar àquele;
7 existe um comportamento molecular, não programável, e um molar, previsível. Ambos se complementam como produção de uma única realidade;
8 o meio geográfico é aquele no qual nos encontramos, e o comportamental, aquele no qual pensamos que nos encontramos. A relação entre ambos cria a dinâmica do comportamento.

CONCLUSÃO

Ao terminar os aspectos práticos destas reflexões, estou pensando em até que ponto o desejo de ser claro torna, de fato, mais visível e mais funcional o caminho a ser trilhado. Essas trilhas não são minhas. São procedimentos que emanam da natureza mesma de cada teoria.

Do alto de uma montanha vejo, lá embaixo no vale, os caminhos que se fizeram pelo caminhar constante dos passos dos que quiseram chegar a algum lugar. Quando desço a montanha, não consigo reencontrá-los, porque perdi a perspectiva do horizonte.

Resta-me agora fazer minha própria trilha.

Referências

Alvim, M. B. "*Awareness*: experiência e saber da experiência". In: Frazão, L. M.; Fukumitsu, K. O. *Gestalt-terapia – Conceitos fundamentais*. São Paulo: Summus, 2014a.

______. *A poética da experiência – Gestalt-terapia, fenomenologia e arte*. Rio de Janeiro: Garamond, 2014b.

______. "O corpo-tempo e o contato: situações contemporâneas". In. Prestelo, E. T.; Quadros, L. C. T. (orgs.). *O tempo e a escuta da vida: configurações gestálticas e práticas contemporâneas*. Rio de Janeiro: Quartet, 2014c, p. 77-107.

Braden, G. *Efeito Isaías – Decodificando a ciência perdida da prece e da profecia*. São Paulo: Cultrix, 2000.

Bimbenet, E. *O animal que não sou mais*. Curitiba: Ed. da UFPR, 2011.

Block, S.; Crouch, E. *Therapeutic factors in group psychotherapy*. Oxford: Oxford University Press, 1985.

Cardella, B. H. P. *De volta para casa – Ética e prática na clínica gestáltica contemporânea*. São Paulo: Amparo, 2007.

Chaui, M. *Experiência do pensamento – Ensaios sobre a obra de Merleau-Ponty*. São Paulo: Martins Fontes, 2002.

Clarkson, P. *Gestalt counseling in action*. Londres: Sage, 1989.

Correia Filho, J. "Os animais pensam? Sim. Como os autistas". *Revista Planeta* online, n. 441, 2009. Disponível em: <https://www.revistaplaneta.com.br/os-animais-pensam-sim-como-os-autistas/>. Acesso em: 17 fev. 2019.

Crocker, S. E. "Boundary processes states and *self*". *The Gestalt Journal*, v. XI, n. 2, 1988, p. 81-125.

Dicionário Houaiss da Língua Portuguesa, Instituto Antonio Houaiss. Rio de Janeiro. Editora Objetiva Ltd. 2001.

Garcia-Roza, L. A. *Psicologia em Kurt Lewin*. Petrópolis: Vozes, 1974.

Ginger, S.; Ginger, A. *Gestalt – Uma terapia do contato*. São Paulo: Summus, 1995.

Hycner, R. *De pessoa a pessoa – Psicoterapia dialógica*. São Paulo: Summus, 1991.

Houaiss, A. *Dicionário Houaiss da língua portuguesa*. Rio de Janeiro: Objetiva, 2009.

McLeod, L. "The *self* in Gestalt therapy theory". *The British Gestalt Journal*, v. 2, n. l, 1993, p. 25-41.

Merleau-Ponty, M. *La structure du comportement*. Paris: PUF, 1960.

Morin, E. *Introdução ao pensamento complexo*. Lisboa: Instituto Piaget, 1990.

Oxford advanced learner's dictionary of current English. Oxford: Oxford University Press, 1988.

Perls, F.; Hefferline, R.; Goodman, P. *Gestalt-terapia*. São Paulo: Summus, 1997.

Perls, F. *A abordagem gestáltica e Testemunha ocular da terapia*. Rio de Janeiro: Zahar, 1973/1977.

______. *Gestalt-terapia explicada*. São Paulo: Summus, 1977.

Polster, E.; Polster, M. *Gestalt-terapia integrada*. São Paulo: Summus, 2001.

Ribeiro, J. P. *Conceito de mundo e de pessoa em Gestalt-terapia – Revisitando o caminho*. São Paulo: Summus, 2011

Robine, J-M. *O self desdobrado – Perspectiva de campo em Gestalt-terapia*. São Paulo. Summus, 2006.

Toben, B.; Wolf, F. A. *Espaço-tempo e além*. São Paulo: Cultrix, 2013.

Wysonig, J. *Isadore From: retelling the story*. Nova York: The Gestalt Journal Press, 2011.

Yontef, G. M. *Processo, diálogo e awareness: ensaios em Gestalt-terapia*. São Paulo. Summus, 1998.

Zinker, J. *El proceso creativo en la terapia guestaltica*. Buenos Aires: Paidós, 1977/1979.

Grupo Summus
www.gruposummus.com.br
www.**gruposummus**.com.br
Acesse, conheça o nosso catálogo e cadastre-se para receber informações sobre os lançamentos.

www.gruposummus.com.br